JAPAN FOUNDATION
独立行政法人 国際交流基金 編著

初級2
A2
かつどう

三修社

はじめに

国際交流基金は、海外における日本理解を深めること、また、国際相互理解を促進することを目的として、様々な文化交流事業を行っています。日本語教育においても、国際交流の場が人々の相互理解につながるように事業を展開することが重要だと考えています。本書『まるごと 日本のことばと文化』も、そうした考え方にもとづいて、成人学習者向けに開発された日本語コースブックです。

『まるごと 日本のことばと文化』は、ＪＦ日本語教育スタンダードに準拠して開発しました。『まるごと』という名前には、ことばと文化を「まるごと」、リアルなコミュニケーションを「まるごと」、日本人のありのままの生活や文化を「まるごと」伝えたいというメッセージが込められています。

本書を開発するにあたって、特に工夫したのは以下の点です。

- 言語パフォーマンスの学習を中心にした「かつどう」と、言語知識の学習を中心にした「りかい」の二巻構成とし、これにより学習者のニーズや学習スタイルに合わせて使えるようにしました。
- 異文化を理解して尊重することを重視し、多様な文化背景を持つ人々が日本語で交流する場面を各トピックに設定しました。
- 言語学習における音声インプットの役割を重視し、自然な文脈のある会話を聞く教室活動を数多く設けました。
- 学習者自身が学習を管理することを重視し、ポートフォリオ評価を導入しました。

本書を通じて、世界中の学習者の方たちに、日本語と日本文化、そして、その中で暮らしている人々を「まるごと」感じていただければ幸いです。

2014 年 9 月

独立行政法人国際交流基金

Introduction

Welcome to *Marugoto: Japanese Language and Culture*, a comprehensive series of coursebooks for adult learners of Japanese as a foreign language developed by the Japan Foundation and based on the JF Standard for Japanese Language Education.

The Japan Foundation engages in a variety of cultural exchange initiatives aimed at deepening understanding of Japan overseas and promoting mutual understanding between Japan and other countries. We think it is important that our work, including our work in Japanese language education, takes place in a way that encourages mutual understanding between people in situations where international cultural exchange takes place, and *Marugoto: Japanese Language and Culture* is based on this way of thinking.

The word *Marugoto* means 'whole' or 'everything' , and was chosen as the title of the coursebook because the course encompasses both language and culture, features communication between people in a range of situations, and allows you to experience a variety of aspects of Japanese culture through hundreds of colourful photographs and illustrations.

The coursebook also incorporates many innovative components for learning language including:

- learning divided into two volumes: *Katsudoo* (coursebook for communicative language activities), aimed at improving ability in language performance, and *Rikai* (coursebook for language competences), aimed at improving ability in language knowledge - so that you can choose a method of study that meets your needs and suits your learning style
- designed with an emphasis on understanding and respecting other cultures, and containing situations where people from a variety of cultural backgrounds interact in Japanese
- learning Japanese through listening to a variety of natural contextualized conversations
- management of your own learning through a portfolio approach

We hope that *Marugoto: Japanese Language and Culture* will motivate you to enjoy learning the Japanese language and Japanese culture, and will help you feel closer to the people who actually live in this culture and speak the language.

September 2014

The Japan Foundation

この本のとくちょう

『まるごと 日本のことばと文化』(『まるごと』) は JF 日本語教育スタンダードに準拠したコースブックです。『まるごと』には以下のような特徴があります。

● JF 日本語教育スタンダードの日本語レベル

『まるごと』は JF 日本語教育スタンダードの 6 段階(A1-C2) でレベルを表しています。『まるごと』(初級2) は A2 レベルです。

A2 レベル

・ごく基本的な個人的情報や家族情報、買い物、近所、仕事など、直接的関係がある領域に関する、よく使われる文や表現が理解できる。
・簡単で日常的な範囲なら、身近で日常の事柄についての情報交換に応ずることができる。
・自分の背景や身の回りの状況や、直接的な必要性のある領域の事柄を簡単な言葉で説明できる。

JF日本語教育スタンダード 2010 利用者ガイドブック [第二版]

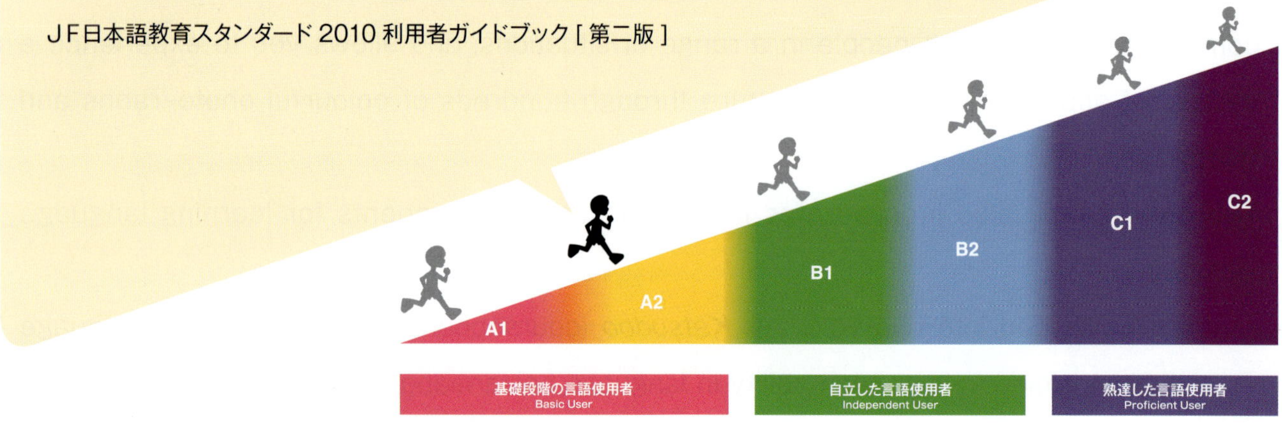

● 2つの『まるごと』:「かつどう」と「りかい」

『まるごと』は日本語を使ってコミュニケーションができるようになるために、「かつどう」と「りかい」の2つの学習方法を提案します。

「かつどう」: 日本語をすぐに使ってみたい人に
・日常場面でのコミュニケーションの実践力をつけることが目標です。
・日本語をたくさん聞き、話す練習をします。

「りかい」: 日本語について知りたい人に
・コミュニケーションのために必要な日本語のしくみについて学ぶことが目標です。
・コミュニケーションの中で日本語がどう使われるか、体系的に学びます。

「かつどう」と「りかい」はどちらも主教材です。どちらを選ぶかは、学習目的によって決めてください。また、「かつどう」と「りかい」は同じトピックで書かれています。両方で学べば、総合的に日本語力をつけることができます。

異文化理解

『まるごと』は、ことばと文化を合わせて学ぶことを提案しています。会話の場面や内容、写真、イラストなど様々なところに異文化理解のヒントがあります。日本の文化について知り、自分自身の文化をふりかえって、考えを深めてください。

学習の自己管理

ことばの学習を続けるためには、自分の学習を自分で評価し、自分で管理することがとても重要です。ポートフォリオを使って、日本語や日本文化の学習を記録してください。ポートフォリオを見れば、自分の学習プロセスや成果がよくわかります。

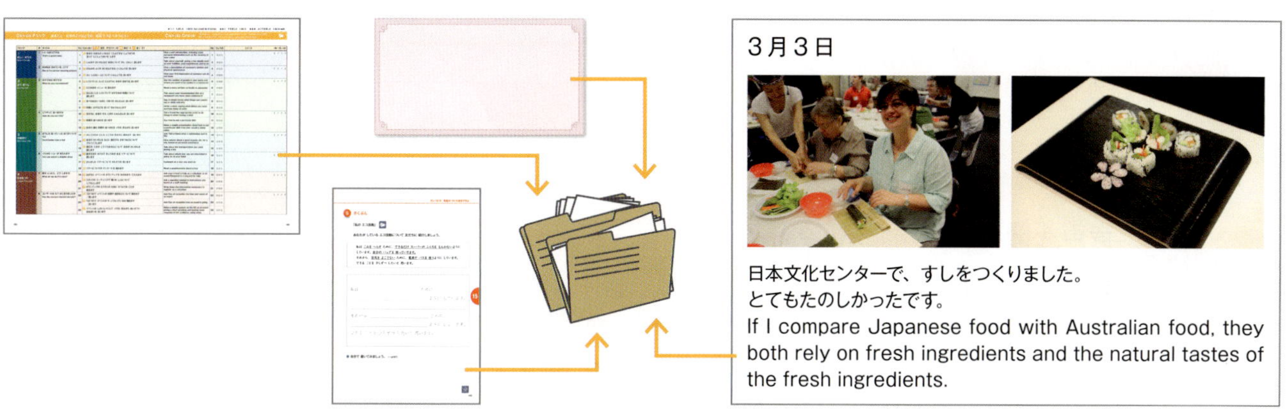

3月3日
日本文化センターで、すしをつくりました。
とてもたのしかったです。
If I compare Japanese food with Australian food, they both rely on fresh ingredients and the natural tastes of the fresh ingredients.

この本のつかいかた

1 コースの流れ

『まるごと』(初級2 A2 かつどう)のコースは、コミュニケーションのための言語活動を中心に進めます。授業時間の目安は1課あたり120-180分で、コースの中間と終了時に「テストとふりかえり」をします。

コースの例:1回の授業(120分)で1課を学習する場合

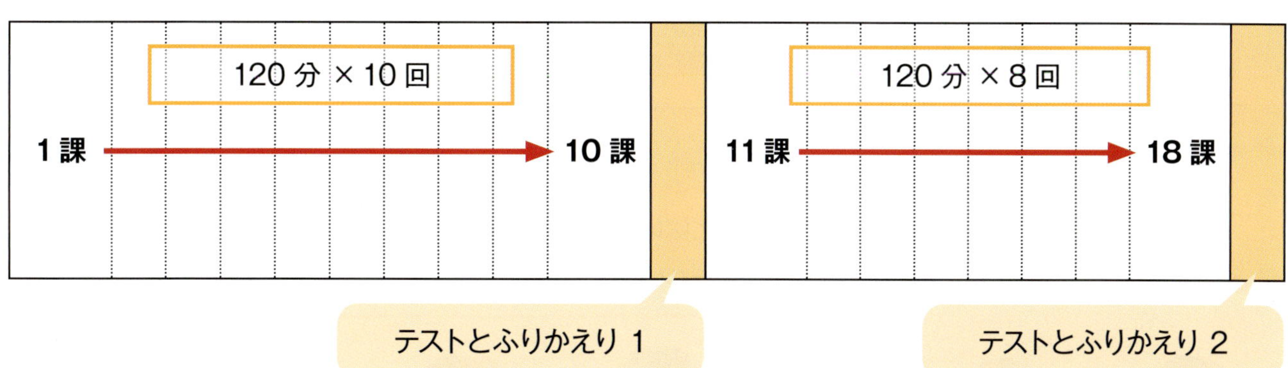

120分 × 10回
1課
10課
120分 × 8回
11課
18課
テストとふりかえり 1
テストとふりかえり 2

2 トピックと課の流れ

目標を知る

1つのトピックに2つの課があります。写真を見て、どんなことをするのか話します。その課で何ができるようになるかCan-doを確認します。

聞く・気づく

文脈／場面のある会話をたくさん聞きます。内容を理解すると同時に、会話の流れをつかみ、よく使われる表現に気づくことが大切です。

音声ファイル：URL→p9

見る・聞く・言ってみる

音声を聞いて写真やイラストを指さしながら意味を確認します。また、小さい声で言ってみます。自分にとって必要なことばを覚えましょう。

音声ファイル：URL→p9

わかりやすく、楽しく学習するために写真やイラストがたくさん使われています。

ルールを発見する

会話で聞いて気づいた文の形と意味を整理し、どんなルールがあるか発見します。

注意する語や表現

ことばの形が書いてあります。練習のときに注意してください。

ゆうこさん
日本

パクさん
かんこく

キャシーさん
イギリス

シンさん
インド

カルメンさん
メキシコ

たなかさん
日本

かわいさん
日本

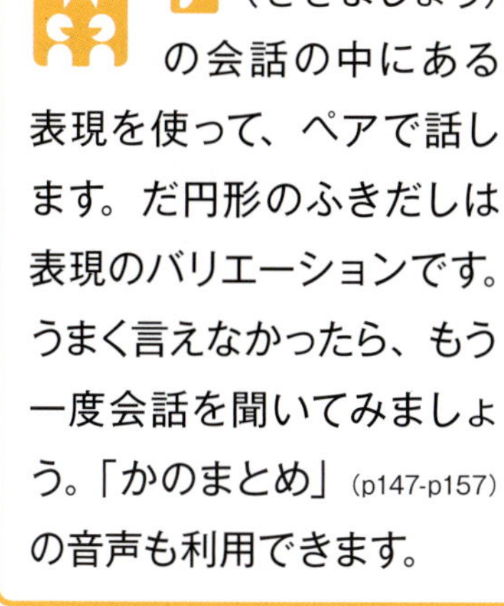

使ってみる

（ききましょう）の会話の中にある表現を使って、ペアで話します。だ円形のふきだしは表現のバリエーションです。うまく言えなかったら、もう一度会話を聞いてみましょう。「かのまとめ」(p147-p157)の音声も利用できます。

Can-do チェック

授業のあとで、Can-do ができたか自分でチェックして、コメントを書きます。Can-do チェック p180-p183　URL→ p9

生活と文化

日本の生活と文化について、いろいろな写真を見ます。自分の国や自分自身と比較して、思ったことをクラスで話し合います。

アイコン

 きいて いいましょう

 ききましょう

 Can-do を チェックしましょう

 はっけんしましょう

 ペアで はなしましょう

 おんせい

 かきましょう

 メモを 見て 言いましょう

 ポートフォリオに いれましょう

 よみましょう

「さん」はほかの人の名前の後ろにつける敬称です。（たなかさん）

やまださん
日本

よしださん
日本

ルパさん
インド

いしかわさん
日本

ヤンさん
マレーシア

カーラさん
フランス

タイラーさん
イギリス

3 異文化理解の活動

『まるごと』はことばと文化をいっしょに学ぶコースです。教室の外でも日本語を使ったり、日本文化を体験したりしましょう。

- ・日本のウェブサイトを見る
- ・日本のドラマや映画を見る
- ・日本料理のレストランに行ってみる
- ・日本関係のイベントに行ってみる
- ・日本人の友人や知り合いと話してみる

教室の外で体験したことをクラスの人と話してください。

4 学習の自己管理の方法

1）Can-do チェック

1つの課が終わったら、Can-do チェック（p180-p183）を見て、チェックします。
自分の学習をふりかえって、コメントを書きます。コメントは何語で書いてもいいです。

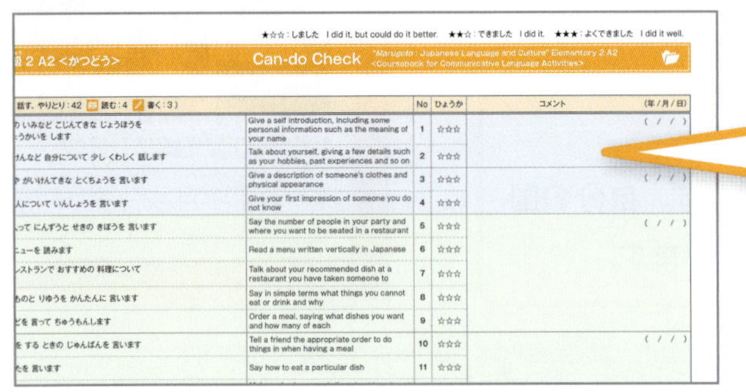

★☆☆：しました　I did it, but could do it better.　★★☆：できました　I did it.　★★★：よくできました　I did it well.

級 2 A2 <かつどう>　Can-do Check　"Marugoto : Japanese Language and Culture" Elementary 2 A2 <Coursebook for Communicative Language Activities>

話す、やりとり：42　読む：4　書く：3）		No	ひょうか	コメント　（年／月／日）
のいみなど こじんてきな じょうほうを ょうかいを します	Give a self introduction, including some personal information such as the meaning of your name	1	☆☆☆	（　/　/　）
けんなど 自分について 少し くわしく 話します	Talk about yourself, giving a few details such as your hobbies, past experiences and so on	2	☆☆☆	
や がいけんてきな とくちょうを 言います	Give a description of someone's clothes and physical appearance	3	☆☆☆	（　/　/　）
人について いんしょうを 言います	Give your first impression of someone you do not know	4	☆☆☆	
って にんずうと せきの きぼうを 言います	Say the number of people in your party and where you want to be seated in a restaurant	5	☆☆☆	（　/　/　）
ニューを 読みます	Read a menu written vertically in Japanese	6	☆☆☆	
レストランで おすすめの 料理について	Talk about your recommended dish at a restaurant you have taken someone to	7	☆☆☆	
ものと りゆうを かんたんに 言います	Say in simple terms what things you cannot eat or drink and why	8	☆☆☆	
どを 言って ちゅうもんします	Order a meal, saying what dishes you want and how many of each	9	☆☆☆	
を する ときの じゅんばんを 言います	Tell a friend the appropriate order to do things in when having a meal	10	☆☆☆	（　/　/　）
たを 言います	Say how to eat a particular dish	11	☆☆☆	

コメントの例

- ・私の町にある日本料理のレストランに行ってみたいと思った。
- ・日本人の友だちに旅行のアドバイスができると思う。

2）ポートフォリオ

日本語と異文化理解の学習や体験を記録し、ふりかえるために、ポートフォリオには以下のようなものを入れます。

① Can-do チェック
② テスト
③ 日本語を使って自分で書いたもの（例　カード、プレゼンテーションのメモなど）
④ 日本語・日本文化の体験記録

5 テストについて

テストの方法と内容については、「テストとふりかえり」（p87-p88、p138-p139）を見てください。

6 関連情報

『まるごと』ポータルサイト **https://www.marugoto.jpf.go.jp/**

以下の『まるごと』関連リソースをダウンロードしたり、学習支援サイトにアクセスしたりできます（無料）。

- 教科書といっしょに使う教材
  - ・音声ファイル
  - ・書くタスクのシート
  - ・ごいインデックス
  - ・ひょうげんインデックス
  - ・Can-do チェック

- 学習支援サイト
  - ・「まるごと＋（プラス）」
  - ・「まるごとのことば」

- 教師用リソース

ないようういちらん 『まるごと　日本のことばと文化』初級 2 A2 <かつどう>

トピック	もくひょう Can-do	おもなひょうげん（* はっけん）
1 新しい 友だち p21	**だい1か　いい なまえですね**	
	1 自分の なまえの いみなど こじんてきな じょうほうを 言って じこしょうかいを します	・ゆうこは やさしい 子と いう いみです。* ・JF フーズと いう かいしゃ *
	2 しゅみや けいけんなど 自分について 少し くわしく 話します	・さいきん 見た えいがは インドの ミュージカルです。*
	だい2か　めがねを かけている 人です	
	3 だれかの ふくや がいけんてきな とくちょうを 言います	・あかい サリーを 着て（い）る 人です。*
	4 よく しらない 人について いんしょうを 言います	・シンさんの おねえさんは やさしそうな 人です。 ／ジョイさんの ごしゅじんは まじめそうです。*
生活と文化	せいふく	
2 店で 食べる p33	**だい3か　おすすめは 何ですか**	
	5 レストランに 入って にんずうと せきの きぼうを 言います	・3人です。テーブルで おねがいします。
	6 たてがきの メニューを 読みます	
	7 あんないした レストランで おすすめの 料理について 話します	・この 店で いちばん おいしいのは よせなべです。*
	8 食べられない ものと りゆうを かんたんに 言います	・ベジタリアンなので、肉は 食べないんです。*
	9 料理と かずなどを 言って ちゅうもんします	・よせなべと てんぷらを 1つずつ おねがいします。
	だい4か　どうやって 食べますか	
	10 友だちに 食事を する ときの じゅんばんを 言います	・飲み物は まだ 飲んじゃ だめです。* ・みんなで かんぱいしてから、飲みましょう。*
	11 料理の 食べかたを 言います	・この 料理は たれを つけて 食べてください。* ・たれを つけすぎると、からいですよ。*
	12 自分の 国の 料理の 食べかたを メモを 見ながら 話します	
生活と文化	作りながら 食べる 料理	
3 沖縄旅行 p47	**だい5か　ぼうしを 持っていった ほうが いいですよ**	
	13 かんこうちが どんな ところか 友だちに 聞きます／言います	・うみも きれいだし、食べ物も おいしいし、いい ところですよ。*
	14 自分の けいけんを もとに 旅行する きせつなどについて アドバイスします	・あついですから、ぼうしを 持っていった ほうが いいと 思います。*
	15 旅行の ときの こうつうきかんについて 自分の けいけんを 話します	・沖縄から かえる とき、ふねに 乗りました。*
	だい6か　イルカの ショーが 見られます	
	16 旅行さきの ホテルで きょうみが ある ツアーについて 話します	・沖縄の 文化が しりたいんですが。 ・沖縄の おどりが 見られますよ。*
	17 さんかした ツアーについて かんそうを 言います	・イルカの ショーも 見たし、イルカと いっしょに 泳いだし、一日中 楽しめました。*
	18 ツアーについての アンケートを 読みます	
生活と文化	しぜんを 楽しむ かんこうち	
4 日本まつり p61	**だい7か　雨が ふったら、どう しますか**	
	19 友だちに イベントの ボランティアを たのみます／こたえます	・おどりが おしえられる 人を さがして（い）ます。* ・いいですよ。／じしん、ありません。すみません。
	20 スタッフの ミーティングで 聞いた しじについて しつもんします	・雨が ふったら、どう しますか。*
	21 ボランティアの とうろくの ために ひつような ことを 書きます	
	だい8か　コンサートは もう はじまりましたか	
	22 うけつけで イベントの 時間や 場所などについて 聞きます／言います	・コンテスト（は）、何時に はじまるか、しって（い）ますか。* ・コンテスト（は）、何時からですか。
	23 うけつけで イベントが 今 どう なっているか 聞きます／言います	・コンテスト（は）、もう はじまりましたか。 ／まだ はじまって（い）ません。* ・コンサート（は）、まだ やって（い）ますか。 ／もう おわりました。*
	24 イベントの しかいしゃとして メモを 見ながら あいさつと おねがいを 言います	・ほんじつは ありがとうございます。 ・みなさんに おねがいが あります。
生活と文化	ボランティア	
5 とくべつな 日 p73	**だい9か　お正月は どう していましたか**	
	25 正月に 何を するか、どう 思うか 話します	・お正月は 買い物とか 料理とか じゅんびが たくさん あります。*
	26 正月休みを どう すごしたか 友だちに 話します	・正月の 休みは ずっと フランスに かえって（い）ました。* ・ひさしぶりに りょうしんに 会えて、よかったです。* ・今年は 休みが 3日間しか ありませんでした。*
	27 ねんがじょうを 読みます	
	28 ねんがじょうを 書きます	
	だい10か　いい ことが ありますように	
	29 きせつの イベントについて 何の ために どんな ことを するか 話します	・ひなまつりは、女の子が しあわせに なるように ねがいます。* ・ひなまつりは にんぎょうを かざったりします。*
	30 自分の 国や 町の イベントについて メモを 見ながら 話します	
生活と文化	日本の 正月休み	
テストとふりかえり 1　p87-p88		

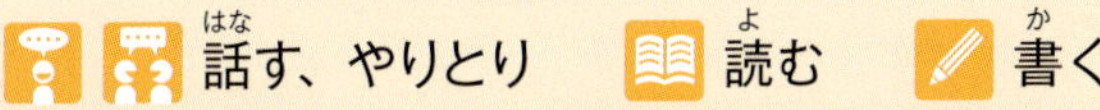

トピック	もくひょう Can-do	おもなひょうげん（*はっけん）
6 ネットショッピング p89	**だい11か　そうじきが こわれて しまったんです**	
	31 今、何を、どうして 買うのか 話します	・音楽プレーヤーの おとが 出なく なりました。* ・音楽プレーヤーを 水の 中に おとして しまったんです。*
	32 ネットショッピングについて どう 思うか 話します	・よく ネットショッピングを します。 ・店に 行かないで 買い物できますから。*
	だい12か　こっちの ほうが 安いです	
	33 電気せいひんについて どう 思うか 話します	・この そうじきは 大きすぎると 思います。* ・この せんたくきは きのうが 多すぎて、使いにくいと 思います。*
	34 2つの しょうひんを くらべて どう 思うか 話します	・ねだんは（A モデルより）B モデルの ほうが 安いです。*
生活と文化	いろいろな 店	
7 れきしと 文化の 町 p101	**だい13か　この おてらは 14 せいきに たてられました**	
	35 おなじ ツアーの グループの 人に その かんこうちに はじめて 来たのか 聞きます／言います	・京都は はじめてですか。／2回目です。 ・京都は 何を 見ても 楽しいですよ。*
	36 ゆうめいな 場所について かんたんに 話します	・この おてらは 14せいきの おわりに たてられました。* ・京都では 京ことばが 話されて（い） ます。*
	37 かんこうちの ノートに 書いてある コメントを 読みます	
	38 かんこうちの ノートに コメントを 書きます	
	だい14か　この 絵は とても ゆうめいだそうです	
	39 はくぶつかんで てんじぶつの せつめいの ないようを 友だちに かんたんに つたえます	・この 絵は 17せいきに かかれたそうです。* ・これは ヨーロッパに ゆしゅつするために、作られました。*
	40 はくぶつかんの ルールについて 話します	・かたなの 写真を とってもいいですか。* ・あそこに さつえいきんしと 書いてあります。
生活と文化	でんとう文化と 今の せいかつ	
8 せいかつと エコ p113	**だい15か　電気が ついたままですよ**	
	41 かんきょうに よくない ことを 見つけて、ちゅういします／こたえます	・エアコンが ついたままですよ。* ・すみません。すぐ けします。
	42 自分の エコかつどうについて 話します	・買い物の とき、自分の バッグを 持っていくように して（い） ます。* ・エコバッグは ごみを へらすのに いいです。*
	だい16か　フリーマーケットで うります	
	43 ものを むだに しないために 何を しているか 話します	・くだものを たくさん もらったら、どう しますか。* ・サイズが かわって ふくが 着られなく なったら、おとうとに あげます。*
	44 いらない もので 作った ものについて 話します	・古い きものを スカートに しました。*
生活と文化	エコかつどう	
9 じんせい p123	**だい17か　この 人、しっていますか**	
	45 ゆうめいな 人について しっている ことを 話します	・外国に 行って じゅうどうを おしえて（い） るそうです。*
	46 ゆうめいな 人を 好きに なった きっかけについて 話します	・子どもの とき、しあいを 見てから、ずっと この 人の ファンです。* ・この せんしゅは 金メダルを とるまで、がんばりました。*
	47 自分の 国の ゆうめいな 人について メモを 見ながら 話します	
	だい18か　どんな 子どもでしたか	
	48 子ども／学生の ときの おもいでを 話します	・私は かえるのが おそくなって、りょうしんに しかられました。*
	49 新しい ことを はじめた きっかけや その後の へんかについて 話します	・パーティーで 会って、デートするように なりました。* ・日本語が 少し 話せるように なりました。*
生活と文化	日本の 50年前と 今	
テストとふりかえり 2　p138-p139		

Features of This Book

Marugoto: Japanese Language and Culture is a coursebook that is based on the JF Standard for Japanese Language Education. It has the following features.

Japanese Levels of JF Standard for Japanese Language Education

Marugoto employs levels that correspond to the six stages of the JF Standard for Japanese Language Education (A1-C2). *Marugoto* (Elementary2) is A2 level.

A2 level

- Can understand sentences and frequently used expressions related to areas of most immediate relevance (e.g. very basic personal and family information, shopping, local geography, employment).
- Can communicate in simple and routine tasks requiring a simple and direct exchange of information on familiar and routine matters.
- Can describe in simple terms aspects of his/her background, immediate environment and matters in areas of immediate need.

Source: JF Standard for Japanese Language Education 2010 Users' Guide Book (2nd edition)

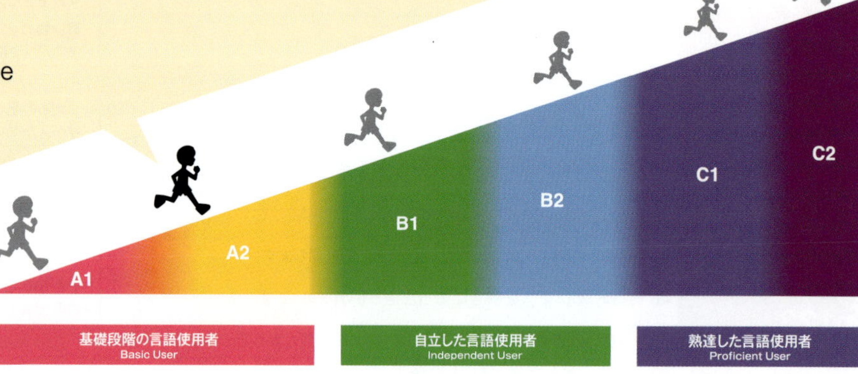

Two *Marugoto* coursebooks: "*Katsudoo*" and "*Rikai*"

Marugoto offers two methods of study aimed at enabling you to communicate using Japanese: *Katsudoo* and *Rikai*.

Katsudoo : a coursebook for communicative language activities

- For people who want to start using Japanese immediately
- The objective is to gain practical ability communicating in everyday situations.
- You will practise listening to and speaking Japanese a lot.

Rikai : a coursebook for communicative language competences

- For people who want to learn about Japanese
- The objective is to study the features of the Japanese language that are necessary for communication.
- You will systematically study how Japanese is used in communication.

Katsudoo and *Rikai* should both be seen as main study materials. Decide which to choose based on your learning objectives. In addition, *Katsudoo* and *Rikai* use the same topics. If you use both, you can make progress in your overall Japanese proficiency.

● Intercultural Understanding

Marugoto offers learning in both language and culture. There is help with intercultural understanding in various places, such as the situations of the conversations, contents of the conversations, photographs and illustrations. Learn about Japanese culture, reflect on your own culture and deepen your intercultural understanding.

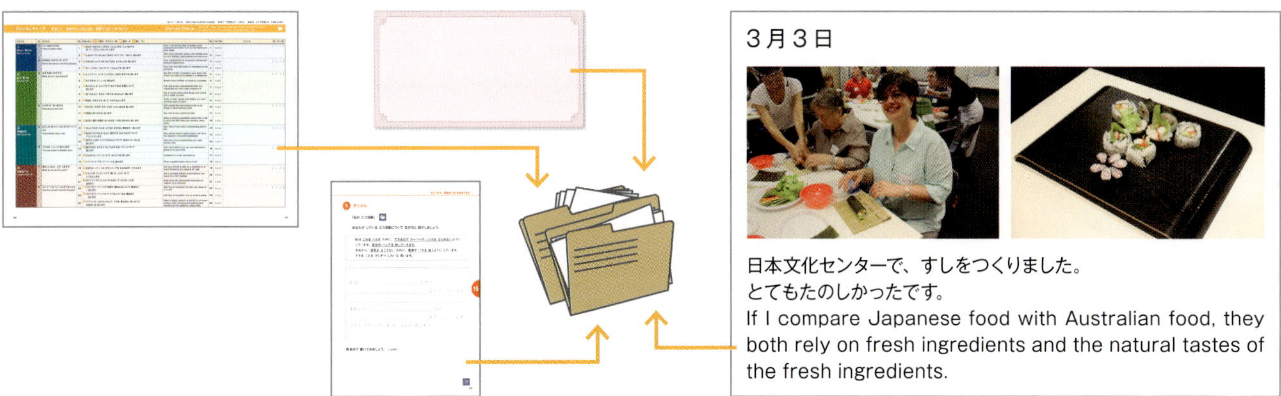

3月3日
日本文化センターで、すしをつくりました。
とてもたのしかったです。
If I compare Japanese food with Australian food, they both rely on fresh ingredients and the natural tastes of the fresh ingredients.

● Managing Your Own Study

It is very important to evaluate and manage your learning by yourself in order to keep going in language learning. Make a record of the Japanese language and culture you have studied using the portfolio. When you look at the portfolio, you can clearly understand your own learning processes and your accomplishments.

How to Use This Book

1 Course Flow

The *Marugoto* (Elementary2 A2 *Katsudoo*) course is designed with communicative language activities at its heart. The suggested class length for one lesson is around 120-180 minutes. In the middle and at the end of the course, you will do ' Test and Reflection' 1 and 2.

Course Example : with a class length of 120 minutes

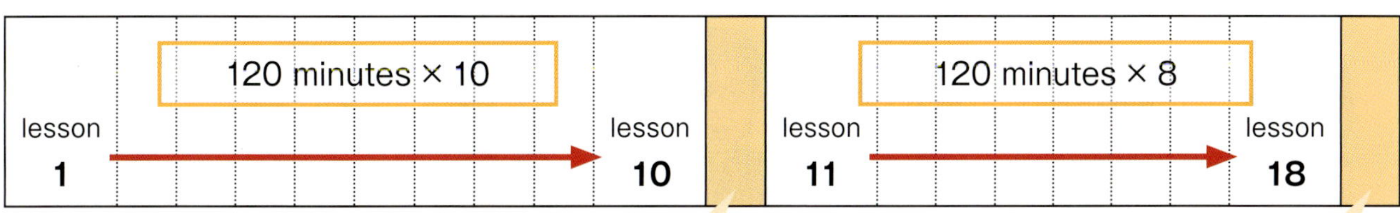

2 Topic and Lesson Flow

Learn the Objectives

Each topic contains two lessons. Look at the photographs and talk about what kind of thing you think you are going to do. Check the Can-do statements to see what you will be able to do by the end of each lesson.

Listen and Notice

You will listen to a lot of contextualized conversations. As well as understanding the contents of the conversation, it is important to grasp the flow of the conversation and notice the expressions that are often used. Audio files : URL → p17

Look, Listen and Try Saying

Listen to the recording and check your understanding while pointing at the photographs and illustrations. Try saying the words and sentence patterns quietly as you listen. Remember the words that you need.

Audio files : URL → p17

Words and expressions you should pay attention to

A lot of photographs and illustrations are used to make the lesson contents easy to understand and fun to study.

Discover the Rule

Think about the form and meaning of the sentences you noticed in the conversations, and then discover the rule of language usage.

This part shows the correct form of words. Keep them in mind while practising.

Yuuko-san
Japan

Paku-san (Pak)
Korea

Kyasii-san (Kathy)
U.K.

Shin-san (Singh)
India

Karumen-san (Carmen)
Mexico

Tanaka-san
Japan

Kawai-san
Japan

Try Using

Speak in pairs using the expressions in the conversations you listened to. Oval bubbles show other expressions you can use.
If you cannot do it well, try listening to the conversation again. Audio files for Lesson Review (p147-157) are also available for practice.

Can-do Check

After the lesson check by yourself whether you could do the Can-do statements and write a comment.

'Can-do Check' p180-p183 URL→ p17

Life and Culture

You will look at a variety of photographs showing Japanese life and culture. You will compare it with both your own country and yourself, and discuss what you think with the class.

Icons

 Listen and repeat

 Listen

 Rate your performance using the 'Can-do Check'

 Discover

 Talk in pairs

 Audio sound

 Write

 Make a simple presentation using notes

 Add to your portfolio

 Read / Recognise

-*san*: In Japanese, *san* is put after other people's names to show respect or politeness. (Tanaka-*san*)

Yamada-san
Japan

Yoshida-san
Japan

Rupa-san (Rupa)
India

Ishikawa-san
Japan

Yan-san (Yang)
Malaysia

Kaara-san (Carla)
France

Tairaa-san (Tyler)
U.K.

3 Activities for Intercultural Understanding

Marugoto is a course where you study language and culture together. You should use Japanese and experience Japanese culture outside the classroom as well.

- Look at Japanese websites
- Watch Japanese dramas and films
- Go to Japanese restaurants
- Go to events related to Japan
- Talk to Japanese friends and acquaintances

Talk about the things you have experienced outside the classroom with your classmates.

4 How to Manage Your Own Learning

1) Can-do Check

Do the 'Can-do Check' (p180-p183) when you finish a lesson. Look back on your study and write comments. You can write in your preferred language.

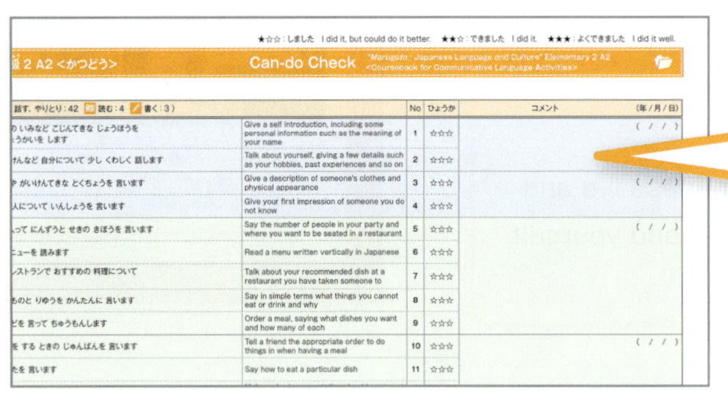
★☆☆：しました I did it, but could do it better. ★★☆：できました I did it. ★★★：よくできました I did it well.

級 2 A2 <かつどう> Can-do Check "Marugoto : Japanese Language and Culture" Elementary 2 A2 <Coursebook for Communicative Language Activities>

話す、やりとり：42 読む：4 書く：3）		No	ひょうか	コメント (年／月／日)
の いみなど こじんてきな じょうほうを ょうかいを します	Give a self introduction, including some personal information such as the meaning of your name	1	☆☆☆	(/ /)
けんなど 自分について 少し くわしく 話します	Talk about yourself, giving a few details such as your hobbies, past experiences and so on	2	☆☆☆	
や がいけんてきな とくちょうを 言います	Give a description of someone's clothes and physical appearance	3	☆☆☆	(/ /)
人について いんしょうを 言います	Give your first impression of someone you do not know	4	☆☆☆	
って にんずうと せきの きぼうを 言います	Say the number of people in your party and where you want to be seated in a restaurant	5	☆☆☆	(/ /)
ニューを 読みます	Read a menu written vertically in Japanese	6	☆☆☆	
レストランで おすすめの 料理について	Talk about your recommended dish at a restaurant you have taken someone to	7	☆☆☆	
ものと りゆうを かんたんに 言います	Say in simple terms what things you cannot eat or drink and why	8	☆☆☆	
どを 言って ちゅうもんします	Order a meal, saying what dishes you want and how many of each	9	☆☆☆	
を する ときの じゅんばんを 言います	Tell a friend the appropriate order to do things in when having a meal	10	☆☆☆	(/ /)
たを 言います	Say how to eat a particular dish	11	☆☆☆	

Examples of comments

- I'd like to try going to a Japanese restaurant in my town.
- Now I can give advice about a trip to my Japanese friends.

2) Portfolio

Make a record of both your study and experiences of Japanese language and intercultural understanding. In order to reflect, put the following kinds of things into your portfolio.

① 'Can-do Check'

② Tests

③ Things you wrote using Japanese (e.g. cards, notes for a presentation, and so on)

④ Records of experiences with Japanese language and culture

5 Tests

For information about the procedure and contents of the tests, see Test and Reflection (p87-p88 and p138-p139).

6 Related Information

Marugoto Portal Site **https://www.marugoto.jpf.go.jp/en/**

You can download the resources and access the websites listed below free of charge.

- Resources to use with the textbook
  - Audio files
  - Task sheets for writing
  - Vocabulary index
  - Phrase index
  - Can-do Check

- Learning support websites
  - MARUGOTO Plus
  - MARUGOTO Words

- Teachers' resources

Table of Contents

Marugoto: Japanese Language and Culture Elementary2 A2
〈 Coursebook for Communicative Language Activities 〉

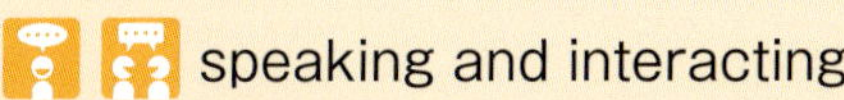 speaking and interacting 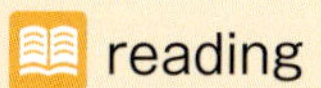 reading  writing

Topic	Goals	Main Expressions (*Hakken)
6 Online Shopping ***Netto-shoppingu*** **p89**	**Lesson 11 My vacuum cleaner has broken *Soojiki ga kowarete shimattan desu***	
	31 Talk about what you are going to buy and why	· *Ongaku-pureeyaa no oto ga denaku narimashita.** · *Ongaku-pureeyaa o mizu no naka ni otoshite shimattan desu.**
	32 Say what you think about online shopping	· *Yoku netto-shoppingu o shimasu.* · *Mise ni ikanaide kaimono dekimasu kara.**
	Lesson 12 This one is cheaper *Kocchi no hoo ga yasui desu*	
	33 Talk with a friend about what you think of an electrical appliance	· *Kono soojiki wa ookisugiru to omoimasu.** · *Kono sentakuki wa kinoo ga oosugite, tsukainikui to omoimasu.**
	34 Compare two products and say what you think about them	· *Nedan wa (A-moderu yori) B-moderu no hoo ga yasui desu.**
Life and Culture	Various shops	
7 A Town Rich in History and Culture ***Rekishi to bunka no machi*** **p101**	**Lesson 13 This temple was built in the 14th century *Kono otera wa 14-seeki ni tateraremashita***	
	35 Ask/Tell someone in the same tour group if it is his or her/your first time to visit a sightseeing spot	· *Kyooto wa hajimete desu ka? / 2-kaime desu.* · *Kyooto wa nani o mitemo tanoshii desu yo.**
	36 Talk briefly about a famous place	· *Kono otera wa 14-seeki no owari ni tateraremashita.** · *Kyooto de wa Kyoo-kotoba ga hanasarete (i)masu.**
	37 Read comments written in the visitor comment book at a sightseeing spot	
	38 Write a comment in the visitor comment book at a sightseeing spot	
	Lesson 14 I hear that this painting is very famous *Kono e wa totemo yuumeeda soo desu*	
	39 Tell a friend in simple terms what the description of an exhibit in a museum says	· *Kono e wa 17-seeki ni kakareta soo desu.** · *Kore wa Yooroppa ni yushutsu-suru tameni, tsukuraremashita.**
	40 Talk about the rules in a museum	· *Katana no shashin o tottemo ii desu ka.* · *Asoko ni satsuee-kinshi to kaite arimasu.*
Life and Culture	Traditional culture in modern life	
8 Life and Eco-friendly Activities ***Seekatsu to eko*** **p113**	**Lesson 15 The light has been left on *Denki ga tsuita mama desu yo***	
	41 Point out a non eco-friendly practice to someone/Respond to this	· *Eakon ga tsuita mama desu yo.** · *Sumimasen. Sugu keshimasu.**
	42 Talk about an eco-friendly activity you engage in	· *Kaimono no toki, jibun no baggu o motte iku yoo ni shite (i)masu.** · *Eko-baggu wa gomi o herasu no ni ii desu.**
	Lesson 16 I'll sell it at the fleamarket *Furiimaaketto de urimasu*	
	43 Talk about what you do to make the best use of things before disposing of them	· *Kudamono o takusan morattara, doo shimasu ka.** · *Saizu ga kawatte fuku ga kirarenaku nattara, otooto ni agemasu.**
	44 Talk about something you made by recycling a thing you no longer needed	· *Furui kimono o sukaato ni shimashita.**
Life and Culture	Eco-friendly activities	
9 People's Lives ***Jinsee*** **p123**	**Lesson 17 Do you know this person? *Kono hito, shitte imasu ka***	
	45 Say what you know about a famous person	· *Gaikoku ni itte juudoo o oshiete(i)ru soo desu.**
	46 Say how you came to like a famous person	· *Kodomo no toki, shiai o mite kara, zutto kono hito no fan desu.** · *Kono senshu wa kin-medaru o toru made, ganbarimashita.**
	47 Make a simple presentation about a famous person from your country, using notes	
	Lesson 18 What kind of child were you? *Donna kodomo deshita ka*	
	48 Talk about a memory of your childhood/student days	· *Watashi wa kaerunoga osokunatte, ryooshin ni shikararemashita.**
	49 Talk about what motivated you to start something new in your life and how things have changed since then	· *Paathii de atte, deeto-suru yoo ni narimashita.** · *Nihongo ga sukoshi hanaseru yoo ni narimashita.**
Life and Culture	Japan Today and 50 Years Ago	
Test and Reflection 2 p138-p139		

新(あたら)しい 友(とも)だち

だい 1 か　いい なまえですね

1. 自分の なまえの いみなど こじんてきな じょうほうを 言って じこしょうかいを します
   Give a self introduction, including some personal information such as the meaning of your name
2. しゅみや けいけんなど 自分について 少し くわしく 話します
   Talk about yourself, giving a few details such as your hobbies, past experiences and so on

だい 2 か　めがねを かけている 人(ひと)です

3. だれかの ふくや がいけんてきな とくちょうを 言います
   Give a description of someone's clothes and physical appearance
4. よく しらない 人について いんしょうを 言います
   Give your first impression of someone you do not know

1

だい 1 か　いい なまえですね

1 じこしょうかい

（1）日本語クラスの じこしょうかいの とき、何について 話しますか。

1 なまえ

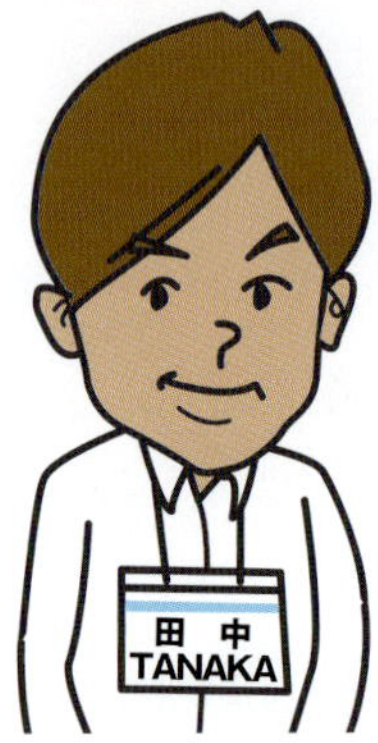

田中 TANAKA

2 しゅみ

好きな もの
好きな こと

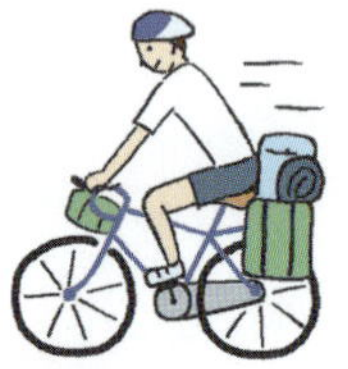

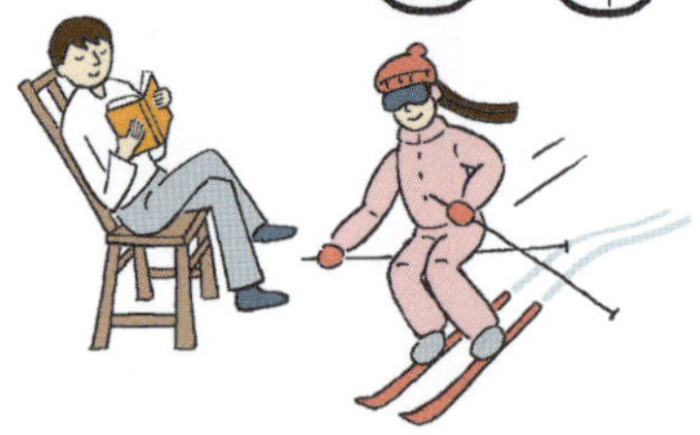

3 仕事

店　会社　学校

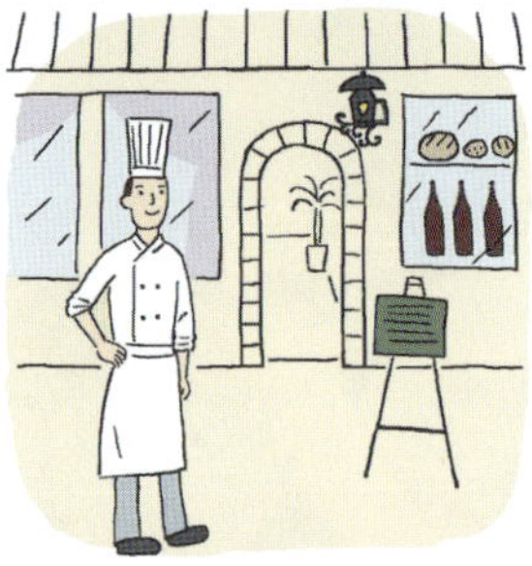

4 すんでいる ところ

むら　町　しま　国

東京

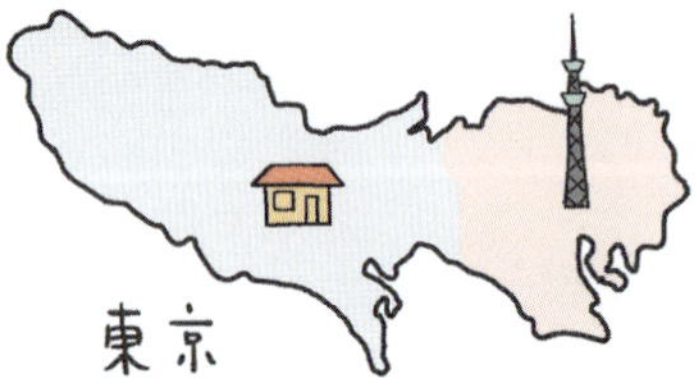

5 かぞく・きょうだい

5人かぞく
3人きょうだい　どくしん

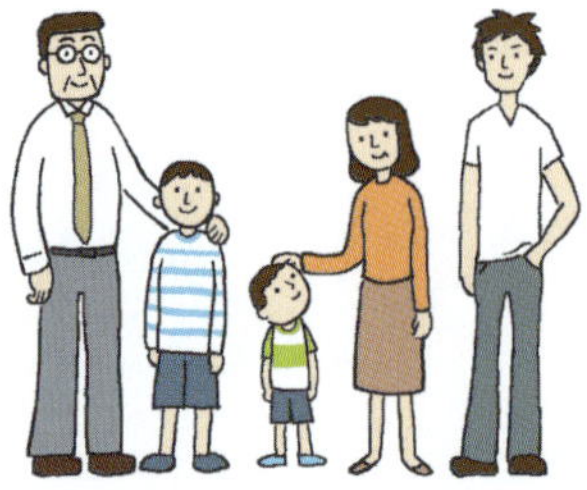

6 とし、たんじょう日

～月～日

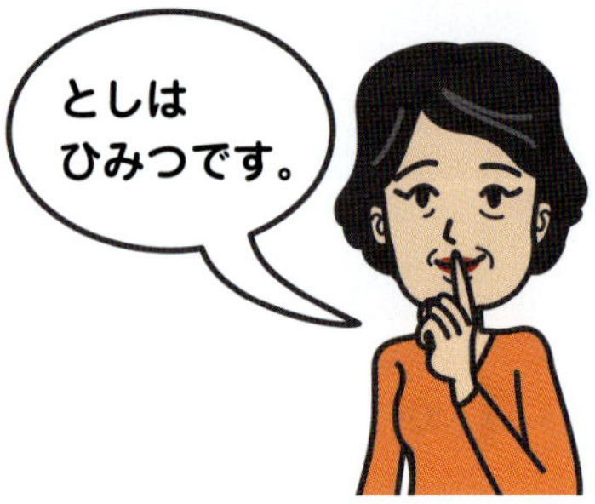

としは ひみつです。

（2）どんな 人だと 思いますか。

1 やさしいです

2 けんこうです

3 まじめです

4 あかるいです

❷ やさしい 子（こ）と いう いみです

5人（にん）の なまえについて 聞（き）きましょう。

（1）どんな なまえですか。聞（き）いて、書（か）きましょう。

（2）どんな いみですか。えらびましょう。

a やさしい 子（こ）
b あかるい 子（こ）
c けんこうな 人（ひと）
d まじめな 人（ひと）
e 春（はる）、うまれた 子（こ）

	(1)	(2)
1	よしだ（ ゆうこ ）	a
2	あさの（　　　）	
3	やまだ（　　　）	
4	かとう（　　　）	
5	のだ（　　　）	

ルールを はっけんしましょう。

ゆうこは［やさしい 子］と いう いみです。

- けんたは［けんこうな 人］と いう いみです。
- まことは（ まじめな ひと →　　　　　　　　　　）です。
- 東京は（ ひがしの まち →　　　　　　　　　　）です。

［　　　］は、どういう いみですか。

［　　　］と いう いみです。

❸ JF フーズと いう 会社で はたらいています

4人の じこしょうかいを 聞きましょう。

(1) 何について 話しましたか。えらびましょう。

(2) なまえは 何ですか。聞いて、書きましょう。

a かぞく・きょうだい

b 仕事

c すんでいる ところ

	1 やまださん	2 リリーさん	3 あさのさん	4 いしかわさん
(1)	b			
(2)	JF フーズ			

ルールを はっけんしましょう。

JF フーズと いう 会社（かいしゃ）で はたらいて（い）ます。

- ３人（にん）きょうだいの １ばんめですから、いちろうと いう なまえです。
- （さいたま、まち →　　　　　　　　）に すんで（い）ます。
- （はなび、レストラン →　　　　　　　　）を やって（い）ます。

→p147

じこしょうかいを しましょう。なまえは 何ですか。

話（はな）すとき

Vています ＝ Vてます

やまだ あきこ です。
あきこ は あかるい 子（こ）と いう いみです。

いい なまえですね。

私（わたし）は JF フーズと いう 会社（かいしゃ）で はたらいてます。

私（わたし）は さいたまと いう 町（まち）に すんでます。

どんな 会社（かいしゃ）ですか。

ごかぞく／ごきょうだいは？

５人（にん）かぞくです。

３人（にん）きょうだいです。

ひとりっこです。

4 さいきん 見た えいがは…

1 013-016 4人は 何について 話していますか。

1	2	3	4

やまださん	パクさん	ケイトさん	くのさん
a			

a

b
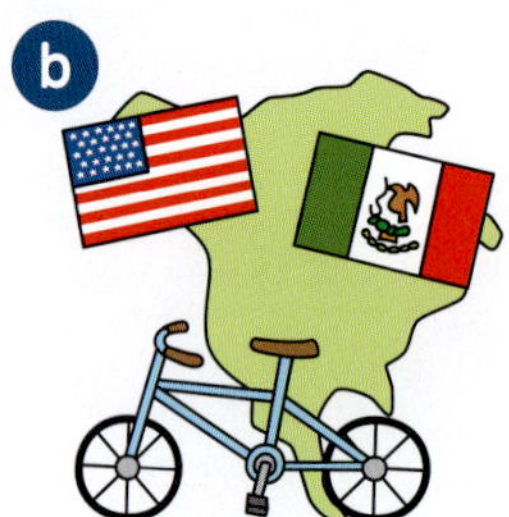

c

d

2 ルールを はっけんしましょう。

さいきん 見た えいがは インドの ミュージカルです。

- よく 読む さっかは 村上春樹です。
- （さいきん かいました →　　　　　　　　　　もの）は テレビです。
- （いったことが あります →　　　　　　　　　　くに）は アメリカと メキシコです。

> **ふつうけい（plain form）**
>
> みました → みた　　かいました → かった
>
> よみます → よむ　　いったことが あります → いったことが ある

→p147

クラスで じこしょうかいを しましょう。好(す)きなことや しゅみは 何(なん)ですか。

ジミーと よんで ください。

はじめまして。
ジェームズ・タン です。

日本の アニメと マンガが 好(す)きです。
よく 読(よ)む マンガは「ツーピース」です。
いつか マンガの ほんやくを したいです。

どうぞ よろしく おねがいします。

すみません。
ほんやく って、どういう いみですか。

私(わたし)もです。おなじですね。

だい 2 か　めがねを かけている 人です

話す とき

・V ています ＝ V てます
・V ている 人 ＝ V てる 人

(1) あなたの 友だちについて 言いましょう。

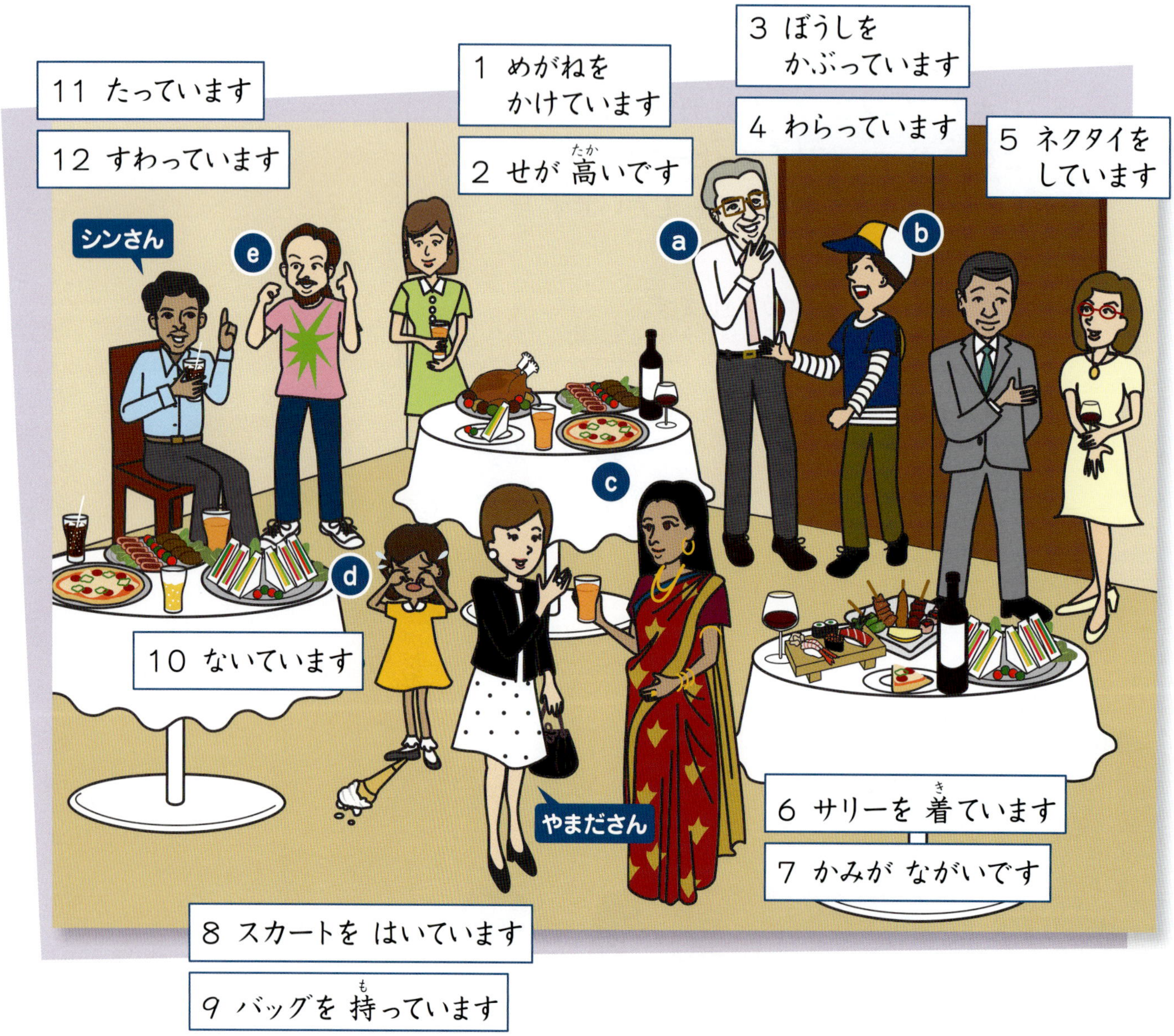

1 めがねを かけています
2 せが 高いです
3 ぼうしを かぶっています
4 わらっています
5 ネクタイを しています
6 サリーを 着ています
7 かみが ながいです
8 スカートを はいています
9 バッグを 持っています
10 ないています
11 たっています
12 すわっています

シンさん　やまださん

a　b　c　d　e

(2) どんな 人ですか。

かわいい　まじめ　きびしい　頭が いい

かっこいい　元気　おもしろい　やさしい　きれい

② サリーを 着ている 人です

1 019-022 パーティーの へやに いろいろな 人が います。

（1）だれについて 話していますか。

ア ごしゅじん　イ おくさん　ウ お子さん　エ 友だち　オ おねえさん

（2）どの 人ですか。（p28 a-e）

	1	2	3	4
（1）	シンさんの（ オ ）	ジョイさんの（　　）	ホセさんの（　　）	やまださんの（　　）
（2）	c			

ルールを はっけんしましょう。

シンさんの おねえさんは 赤い サリーを 着て（い）る 人です。

- ジョイさんの ごしゅじんは めがねを かけて（い）る 人です。
- ホセさんの お子さんは あそこで（ないています →　　　　　おんなのこ）です。
- やまださんの 友だちは ジーンズを（はいています →　　　　　おとこのひと）です。

V-て いる

ふつうけい（plain form）

きています → きている　　かけています → かけている
ないています → ないている　　はいています → はいている

今、パーティーの へやに どんな 人が いますか。p28 のイラストを 見て 話しましょう。

やまだsさんの 友だちは どの 人ですか。

かみが ながい 男の人です。

白い シャツを 着てる 人です。

あの 人／あの かたですか。

めがねを かけてる 人ですか。

はい、そうです。

いいえ…

あの人 → あの かた

③ やさしそうな 人ですね

1-4 の 人について 話しています。

（1）話している 人は 1-4 の 人を 見て、どう 思いましたか。

（2）ほんとうは どうですか。（1）と おなじですか。（はい ○、いいえ ×）

a おもしろい　b きびしい　c やさしい　d まじめ　e 元気　f 頭が いい

	1 ジョイさんの ごしゅじん	2 シンさんの おねえさん	3 よしださんの お子さん	4 やまださんの 友だち
(1)	d			
(2)	○			

ルールを はっけんしましょう。

ジョイさんの ごしゅじんは まじめそうな 人（ひと）です。

- シンさんの おねえさんは やさしそうです。
- やまださんの 友（とも）だちは（おもしろい →　　　　　　ひと）です。
- よしださんの お子（こ）さんは（あたまが いい →　　　　　　です。）

イA-い／ナA-な　そう（な）

おもしろい → おもしろそう　　やさしい → やさしそう
いい → よさそう　　まじめな → まじめそう

かぞくの 写真（しゃしん）を 見（み）て 話（はな）しましょう。

→p147

だれ → どなた

この 女の人（おんなのひと）は だれですか／どなたですか。

私（わたし）の あねです。

おねえさん、やさしそうな 人（ひと）です ね。
／やさしそうです ね。

はい、あねは やさしいです。
よく、いっしょに 買い物（かいもの）に 行きます。

やさしそうです けど、
ほんとうは きびしいんです よ。

そうですか。

2

せいふく
Uniforms

1

2

3 4

5

6

● あなたの国では、どんな人たちが せいふくを着ていますか。せいふくを着ている人たちは どんな ふうに見えますか。

Who wears uniforms in your country? How do they look when in their uniforms?

1. ようちえんの子ども <kindergarten child>　2. じえいかん <Japan Self-Defense Force official>　3. いしゃ、かんごし <doctor, nurse>　4. ぎんこういん <bank teller>　5. いたまえ <cook/chef in a Japanese restaurant>　6. せいそういん <cleaner>

店で 食べる

だい 3 か　おすすめは 何ですか

5. レストランに 入って にんずうと せきの きぼうを 言います
   Say the number of people in your party and where you want to be seated in a restaurant
6. たてがきの メニューを 読みます
   Read a menu written vertically in Japanese
7. あんないした レストランで おすすめの 料理について 話します
   Talk about your recommended dish at a restaurant you have taken someone to
8. 食べられない ものと りゆうを かんたんに 言います
   Say in simple terms what things you cannot eat or drink and why
9. 料理と かずなどを 言って ちゅうもんします
   Order a meal, saying what dishes you want and how many of each

---

だい 4 か　どうやって 食べますか

10. 友だちに 食事を する ときの じゅんばんを 言います
    Tell a friend the appropriate order to do things in when having a meal
11. 料理の 食べかたを 言います
    Say how to eat a particular dish
12. 自分の 国の 料理の 食べかたを メモを 見ながら 話します
    Make a simple presentation about how to eat a particular dish from your country, using notes

2

だい 3 か

おすすめは 何（なん）ですか

1 わしょくの レストラン

1 027

レストランの なか

1 カウンター 2 テーブル 3 ざしき 4 きんえんせき 5 きつえんせき
6 よやく（します）
7 ちゅうもん（します）

2 Can-do 5 →p148 レストランに はいります。

いらっしゃいませ。
ごよやくですか。

いいえ。

はい。
やまだ です。

なんめいさまですか。

3人（にん） です。

テーブル と ざしき が
ございますが。

テーブル で
おねがいします。

こちらへ どうぞ。

店（みせ）の 人（ひと）の ことば 1

・ごよやく
・ございます
・～めいさま

2 この店(みせ)で いちばん おいしいのは よせなべです

  どんな 料理(りょうり)が ありますか。

お料理

よせなべ　とりのスープ

かになべ　かにがおいしい

すきやき　やわらかい牛肉

さしみ　しんせんなお魚

野菜のてんぷら　きせつの味

お飲物

お酒

日本酒……

ビール……

ソフトドリンク

オレンジジュース……三〇〇円

コーラ……三〇〇円

ウーロン茶……三〇〇円

ウーロンちゃ

a よせなべ

とりにく

b かになべ

かい

えび

かに

c すきやき

ぎゅうにく

d さしみ

なま

e やさいの てんぷら

3

2 028-031 メニューを 見て 何を 食べるか そうだんします。

(1) 男の人は どの 料理を すすめていますか。(p35 a-e)

a よせなべ　b かになべ　c すきやき　d さしみ　e 野菜の てんぷら

(2) どうしてですか。

f 体に いいです　g きせつを 楽しみます
h 魚が しんせんです　i えいようが あります

	1	2	3	4
(1)	a			
(2)	f			

3 ルールを はっけんしましょう。

この 店で いちばん おいしいのは よせなべです。

- 私が いつも 食べるのは 野菜の てんぷらです。
- この 店で いちばん (ゆうめいです → 　　　　　　) は すきやきです。
- この 店で (にんきが あります → 　　　　　　) は さしみです。

ふつうけい (plain form) の

たべます → たべるの　(にんきが) あります → あるの
おいしいです → おいしいの　ゆうめいです → ゆうめい~~だ~~なの

③ 肉(にく)は 食(た)べないんです

1 032-035 4人の 話(はなし)を 聞(き)きましょう。

飲(の)めないんです

食(た)べられないんです

にがてなんです

(1) 4人(にん)が 食(た)べない もの、飲(の)まない ものは 何(なん)ですか。

a 肉(にく)　b えび、かに　c なまの 魚(さかな)　d お酒(さけ)

(2) 4人(にん)は 何(なに)を ちゅうもんしましたか。

e 野菜(やさい)の てんぷら　f かになべ　g すきやき　h ウーロン茶(ちゃ)

	1 ルパさん	2 エドさん	3 さとうさん	4 ホセさん
(1)	a			
(2)	e			

ふつうけい (plain form)

あります → ある

きました → きた

にがてです → にがて~~だ~~な

ベジタリアンです → ベジタリアン~~だ~~な

2 ルールを はっけんしましょう。

ベジタリアンなので、肉(にく)は 食(た)べないんです。

- アレルギーが あるので、かには 食(た)べられないんです。
- 車(くるま)で（きました → 　　　ので）、お酒(さけ)は 飲(の)めないんです。
- なまの 魚(さかな)は（にがてです → 　　　ので）、さしみは ちょっと…。

Can-do 7 →p148 **p35の メニューを 見て 話しましょう。**

どんな 料理が ありますか。あなたは 何でも 食べますか。

この 店の おすすめは 何ですか。

この 店で いちばん おいしいのは、よせなべ です。

何が 入ってますか。

とり肉や 野菜が いろいろ 入ってます。
あたたかくて、おいしいですよ。

おいしそうですね。
じゃあ、それに します。

Can-do 8 →p148

あのう、私、ベジタリアンなので、肉や 魚は 食べないんです。
野菜の 料理は ありますか。

野菜なら、てんぷらが いいですよ。
おすすめです。

しゅうきょうじょうの りゆうで
<for religious reasons>

じゃあ、それに します。

けんこうじょうの りゆうで
<for health reasons>

おきまりですか

→p148

料理を ちゅうもんしましょう。

よせなべと てんぷら、1つずつ おねがいします。

ごちゅうもん、おきまりですか。

お飲み物は？

ビール 2つと ジュース 1つ、おねがいします。

かしこまりました。

食事の あとで コーヒー 3つ おねがいします。

店の 人の ことば 2

- ごちゅうもん
- おきまりですか
- かしこまりました

3

だい4か どうやって 食(た)べますか

1 料理(りょうり)の 食(た)べかた

036 料理(りょうり)を つくって、食(た)べます。

● あなたの 国(くに)で、ゆうめいな 料理(りょうり)は 何(なん)ですか。どうやって 食(た)べますか。

② かんぱいしてから、飲みましょう

 037-040 テーブルに 料理が 来ました。

(1) 音声を 聞く 前に、じゅんばん（←／→）を 書きましょう。

(2) 音声を 聞いて、じゅんばんを チェックしましょう。

1

2

3

4

2 ルールを はっけんしましょう。

話す とき

V-ては／では＝V-ちゃ／じゃ

(1) 飲み物は まだ 飲んじゃ だめです。

- 肉は まだ 食べちゃ だめです。
- なべの ふたは まだ（とります → 　　　　だめです）。
- ごはんは まだ（いれます → 　　　　だめです）。

V-ちゃ（V-ては）

いれます → いれちゃ
たべます → たべちゃ
とります → とっちゃ
のみます → のんじゃ

(2) みんなで かんぱいしてから、飲みましょう。

- 肉は もう少し 色が かわってから、食べます。
- なべの ふたは もう少し（まちます → 　　　　）、とります。
- ごはんは 肉と 野菜を ぜんぶ（たべます → 　　　　）、いれます。

V-て から

かんぱいします → かんぱいしてから
たべます → たべてから
まちます → まってから
かわります → かわってから

4

→p149

もう 食（た）べても いいですか。p41の イラストを 見（み）て 話（はな）しましょう。

いい においですね。

おなかが すきました。

のどが かわきました。

飲（の）み物（もの）、もう 飲（の）んでも いいですか。

いいえ、まだ 飲（の）んじゃ だめですよ。

あ、まだですか。

みんなで かんぱいしてから、飲（の）みましょう。

がまん、がまん。

あ、そうですね。

③ たれを つけて 食べて ください

どうやって 食べますか。

1 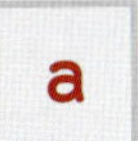

2 ☐ 3  4 

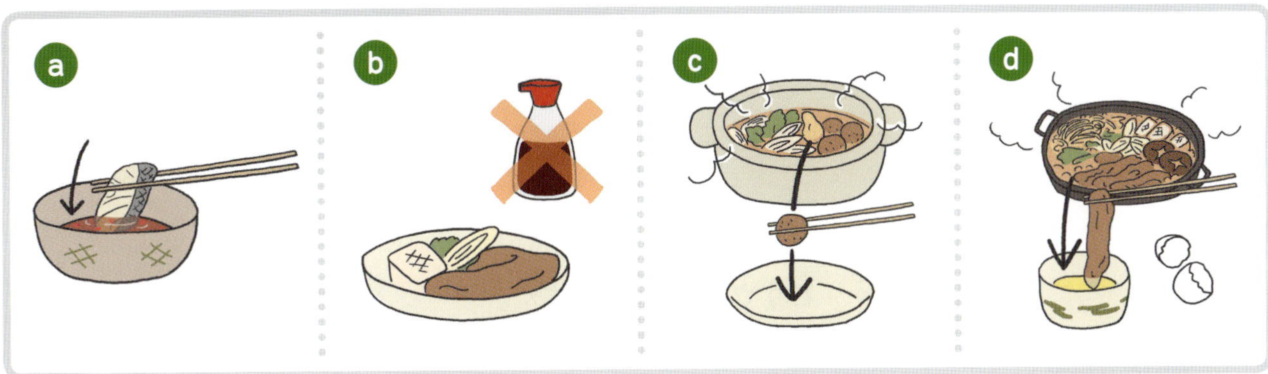

V-て／V-ない で

かけます
→ かけて／かけないで
つけます
→ つけて／つけないで
とります
→ とって／とらないで

4

2 ルールを はっけんしましょう。

(1) この 料理は たれを つけて 食べて ください。

- すきやきは しょうゆを かけないで 食べます。
- すきやきは 卵を（つけます →　　　　）食べます。
- 私は 卵を（つけません →　　　　）食べます。
- 自分の さらに 料理を（とります →　　　　）食べます。

(2) たれを つけすぎると、からいですよ。

- なべから そのまま たべると、あついですよ。
- しょうゆを（かけます →　　　　と）、しょっぱいですよ。
- 卵を（つけます →　　　　と）、あつくないですよ。

V-る

かけます → かける
たべます → たべる
つけます → つける
つけすぎます → つけすぎる

→p149

料理の 食べかたについて 話しましょう。

はい、できました。どうぞ。

あのう、どうやって 食べますか。

そのまま

たれを つけて 食べて ください。

何も つけないで

いただきます。たれを つけて 食べるんですね。

はい。つけすぎる と、からいです よ。

おいしいですね。

はじめての 味です。

４ 私の 国の 料理の 食べかた

→p149

あなたの 国や 町で ゆうめいな 料理は 何ですか。どうやって 食べますか。メモを 書いて、クラスで 話しましょう。

1 ［ブンチャー］の 食べかたを しょうかいします。

2 ［ベトナムの ブンチャー］は、［日本の そうめん］と にています。

3 ［あまくて すっぱい たれを つけて］ 食べます。

4 ［野菜を いれる］と、もっと おいしいです。

1 料理の なまえ　（　　　　　　　　）の 食べかた

2 どんな 料理ですか。　（　　　　　　　　）は、
（　　　　　　　　）と にています。
（　　　　　　　　　　　　）

3 どうやって 食べますか。　（　　　　　　　　て）食べます。

4 アドバイス　（　　　　　　　　）と、おいしいです。

作りながら 食べる 料理

Dishes cooked at the table as you eat

1

2

3

4

● あなたの 国には、作りながら 食べる 料理が ありますか。どんな ときに 食べますか。

Are there any dishes in your country which people cook at the dining table while eating together? On what occasions do you have these?

1. しゃぶしゃぶ <"Shabu-shabu" (type of hot pot)>　2. お好み焼き <"Okonomiyaki" (pancake-style food with many kinds of ingredients)>　3. 焼き肉 <"Yakiniku" (grilled meat)>　4. 手まきずし <"Temakizushi" (hand-rolled sushi)>

沖縄旅行（おきなわりょこう）

だい5か　ぼうしを 持って（も）いった ほうが いいですよ

13. かんこうちが どんな ところか 友だちに 聞きます／言います
    Ask/Tell a friend what a sightseeing spot is like
14. 自分の けいけんを もとに 旅行する きせつなどについて アドバイスします
    Give advice about a good season, etc. for a trip, based on personal experience
15. 旅行の ときの こうつうきかんについて 自分の けいけんを 話します
    Talk about the transportation you used during a trip

だい6か　イルカの ショーが 見られ（み）ます

16. 旅行さきの ホテルで きょうみが ある ツアーについて 話します
    Talk about which tour you are interested in going on at your hotel
17. さんかした ツアーについて かんそうを 言います
    Comment on a tour you went on
18. ツアーについての アンケートを 読みます
    Read a questionnaire about a tour

3

ぼうしを 持っていった ほうが いいですよ

1 かんこう

045 沖縄で 何が できますか。

沖縄の旅 | 国内旅行なら...

http://www.jftravel.co.jp/okinawa/

JFトラベルで行く 沖縄の旅

▸お問い合わせ ▸サイトマップ

目的からスポットを探す

- 観光 観光マップ・名所
- グルメ レストラン・カフェ
- マリン&レジャー ダイビング・カヌー
- ショッピング お土産いろいろ
- ビーチ 南部・中部・北部
- 沖縄の基本 ホテル・交通・気候

沖縄のお役立ち情報

- 交通情報
- 天気予報
- イベントカレンダー
- ドライブコース
- ゴルフ場

今日の沖縄

29℃ 25℃ 27℃ 29℃

20×× くだものフェスティバル

JFトラベル沖縄支店 アクセス

1 かんこうシーズンです

2 しぜんが ゆたかな 沖縄に 来てください。

3 人が しんせつです。

4 けしきが うつくしいです

5 しまを ドライブしませんか。

おすすめの コースは こちら

6 ダイビングの どうぐは レンタルしましょう

7 レンタルの りょうきんは 安いです。

よやくは こちら

● あなたの 国には しぜんが ゆたかな かんこうちが ありますか。そこで 何が できますか。

2 海も きれいだし、食べ物も おいしいし、いい ところですよ

1 046-049 シンさんは 沖縄に 行きたいと 思っています。

旅行の 前に、どんな ところか 友だちに 聞きます。

沖縄は どうでしたか。

シンさん

さとうさん

1 a

エドさん

2

リリーさん

3

よしださん

4

a

b

c

d

2 ルールを はっけんしましょう。

海も きれいだし、食べ物も おいしいし、いい ところですよ。

- けしきも うつくしいし、車も 少ないし、ドライブに おすすめですよ。
- ダイビングの りょうきんも（やすいです →　　　　　）、きれいな 魚も（おおいです →　　　　　）、いい ところですよ。
- しぜんも（ゆたかです →　　　　　）、人も（しんせつです →　　　　　）、すばらしいですよ。

イA／ナA し

ふつうけい（plain form）

おおいです → おおいし　　やすいです → やすいし
しんせつです → しんせつだし　　ゆたかです → ゆたかだし

→ p149

あなたは どこに 行きたいですか。どんな ところか 友だちに 聞きましょう。

沖縄に 行ったこと、ありますか。

はい、ありますよ。　　いいえ、ありません。

どうでしたか。　　そうですか。

海も きれいだし、食べ物も おいしいし、いい ところですよ。

③ ぼうしを 持っていった ほうが いいですよ

  050-053 りょこうの アドバイスを 聞きましょう。

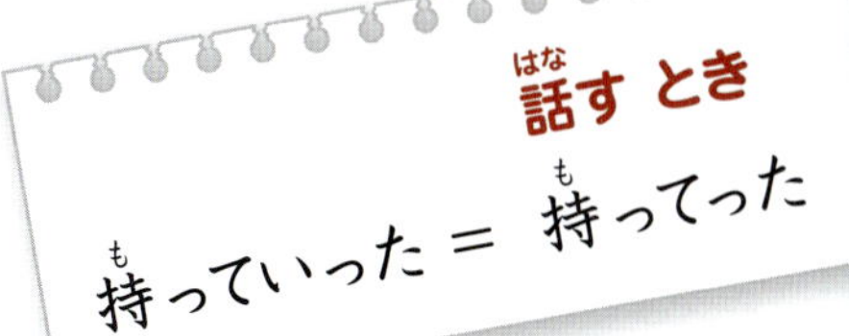

(1) 何月が いいですか。

(2) どんな アドバイスを もらいましたか。　できれば

	1	2	3	4
(1)	（　7　）月	（　　）月	（　　）月	（　　）月
(2)	a			

a 
b 
c 
d 

2 ルールを はっけんしましょう。

あついですから、ぼうしを 持って(い)った ほうが いいと 思います。

- ・5月は できれば 行かない ほうが いいですよ。つゆですから。
- ・ひこうきは はやく（よやくします →　　　　　　ほうが いい）と 思います。こみますから。
- ・高いので、ダイビングの どうぐは（かいません →　　　　　　ほうが いいです）よ。（かります →　　　　　　ほうが いい）と 思います。

V-た／V-ない

よやくします → よやくした
もっていきます → もっていった
かります → かりた
かいません → かわない
いきません → いかない

5

→p150

りょこうに いい きせつは いつごろですか。友(とも)だちに アドバイスしましょう。

沖縄(おきなわ)に 行(い)ってみたいんですが、5月は どうですか。

5月は できれば 行(い)かない ほうが いいですよ。つゆですから。

そうですか。じゃあ、7月は どうですか。

7月は いいと 思(おも)いますよ。でも、ぼうしや サングラスを 持(も)ってった ほうが いいですよ。あついですから。

4 沖縄(おきなわ)に 行(い)く とき、どうやって 行(い)きましたか

(1) どうやって 行(い)きましたか。(2) どうやって かえりましたか。

	1	2	3	4
	東京 - 沖縄	くうこう - ホテル	ホテル - しま	ホテル - うみ
(1)	a			
(2)	d			

a

b

c

d

e

ルールを はっけんしましょう。

沖縄に 行く とき、どうやって 行きましたか。

- 沖縄から かえる とき、ふねに 乗りました。
- ふねに（のっています → 　　　　　　　　とき）、おもしろかったです。
- ふねは 少し ゆれました。（つきました → 　　　　　　とき）、ほっと しました。

V-る／V-ている／V-た

いきます → いく	かえります → かえる
つきました → ついた	のっています → のっている

→p150

あなたは りょこうの とき、何に 乗りましたか。友だちと 話しましょう。

沖縄に 行く とき、どうやって 行きましたか。

行く ときは、ひこうきで 行きました。
かえる ときは、ふねに 乗りました。

ふねは、どうでしたか。

おもしろかったです。

……………………………

ちょっと つかれました。

イルカの ショーが 見られます

1 旅行の パンフレット

058 ツアーに さんかしましょう。

沖縄 オプショナルプラン

沖縄を楽しんでください！

ツアーに さんかしましょう

A 沖縄文化ツアー
おどりのショー
4,800円

B 沖縄ガラス
楽しい おもいでを 作りましょう
じょせいに 人気のツアーです
1,300円

C すいぞくかんとイルカのショー
イルカと 泳ぎましょう
6,500円

D もりと川ツアー
めずらしい どうぶつが まっています
3,150円

まってるよ！

JFトラベル

● あなたの 国の かんこうちでは どんな ツアーが ありますか。その ツアーでは 何が できますか。

② イルカの ショーが 見(み)られます

4人(にん)は ホテルの 人(ひと)に ツアーについて 聞(き)きます。

(1) 4人(にん)は 何(なに)を したいですか。(ア-エ)　　(2) どんな ツアーが いいですか。(p54 A-D)

	1	2	3	4
	シンさん	ジョイさん	ヤンさん	カーラさん
(1)	ア			
(2)	C			

ア

イ

ウ

エ

ルールを はっけんしましょう。

イルカの ショーが 見(み)られます。

- イルカと いっしょに 泳(およ)げます。
- 沖縄(おきなわ)の 音楽(おんがく)が (ききます → 　　　　　　)。
- 沖縄(おきなわ)の おかしが (たべます → 　　　　　　)。
- 沖縄(おきなわ)の 文化(ぶんか)が (たのしみます → 　　　　　　)。

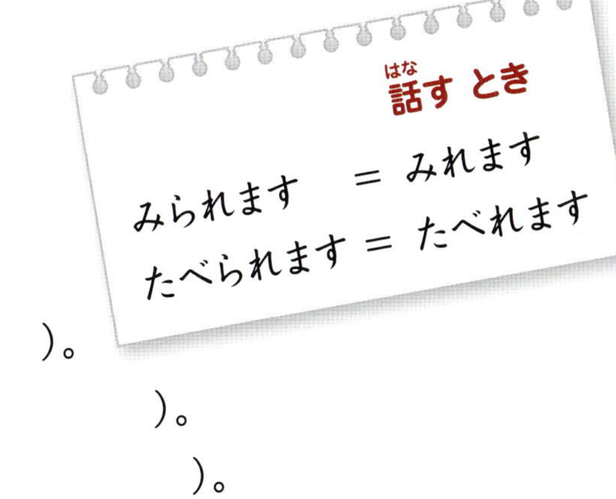

話(はな)す とき
みられます ＝ みれます
たべられます ＝ たべれます

＜かのう potential＞
V-(られ) ます

みます → みられます	たべます → たべられます
およぎます → およげます	ききます → きけます
たのしみます → たのしめます	

6

→p150 ホテルの 人(ひと)に 聞(き)きましょう。どんな ツアーが いいですか。

あのう、きれいな 魚(さかな)とか イルカを 見(み)てみたいんですが。

それなら、この ツアー、いかがですか／どうですか。
イルカの ショーが 見(み)られますよ。

へえ、おもしろそうですね。

ええ。イルカと いっしょに 泳(およ)げますよ。
とても 人気(にんき)が ある ツアーです。

3 一日中(いちにちじゅう) 楽(たの)しめました

ホテルの 人(ひと)は ツアーが どうだったか、聞(き)きます。

(1) ツアーは どうでしたか。（よかった ○、よくなかった ×、まあまあ △）

(2) どうしてですか。

	1	2	3	4
(1)	○			
(2)	c			

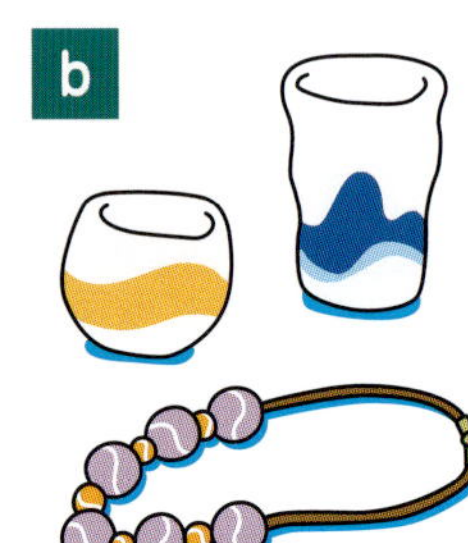

ルールを はっけんしましょう。

イルカの ショーも 見(み)たし、イルカと いっしょに 泳(およ)いだし、一日中(いちにちじゅう) 楽(たの)しめました。

・沖縄(おきなわ)の おどりも（みました →　　　　）、めずらしい おかしも（たべました →　　　　）、楽(たの)しめました。

・沖縄(おきなわ)ガラスで コップも（つくりました →　　　　）、ネックレスも（かいました →　　　　）、すごく 楽(たの)しかったです。

V-たし

ふつうけい（plain form）

みました → みたし
およぎました → およいだし
つくりました → つくったし
たべました → たべたし
かいました → かったし

→p150

ホテルの 人(ひと)に ツアーの かんそうを 言(い)いましょう。

今日(きょう)の ツアー、どうでしたか。

よかったですよ。イルカの ショーも 見(み)たし、イルカと いっしょに 泳(およ)いだし、一日中(いちにちじゅう) 楽(たの)しめました。

そうですか。

4 おきゃくさまアンケート

  シンさんが 書(か)いた アンケートを 読(よ)みましょう。

JF トラベル

お客さまアンケート

JF トラベルのツアーにご参加いただき、ありがとうございました。
アンケートにご協力、よろしくおねがいします。

性別　☑ 男性　□ 女性

年齢　□ 10 歳～ □ 20 歳～ ☑ 30 歳～ □ 40 歳～ □ 50 歳～ □ 60 歳～

ツアー名
□ A 沖縄文化(おきなわぶんか)ツアー（おどりのショー）
□ B 沖縄(おきなわ)ガラスツアー
☑ C イルカと泳(およ)ぐツアー（すいぞくかんとイルカのショー）
□ D もりと川(かわ)ツアー

質問1　**ツアーの内容は どうでしたか。**
☑ とてもいい　□ ふつう　□ あまりよくない

質問2　**ツアーの時間は どうでしたか。**
□ 長い　☑ ちょうどいい　□ 短い

質問3　**ツアーの料金は どうでしたか。**
□ 高い　☑ ふつう　□ 安い

質問4　**ツアーのガイドは どうでしたか。**
☑ とてもいい　□ ふつう　□ あまりよくない

ガイドの 宮里さんは しんせつでした。
とても 楽しかったです。
ありがとうございました。

しぜんを 楽しむ かんこうち

Sightseeing spots where one can enjoy nature

● **あなたの 国には、しぜんを 楽しむ かんこうちが ありますか。**

Are there places in your country where people go to enjoy nature?

1. 山（富士山）<mountain (Mt. Fuji)>　2. みずうみ（摩周湖）<lake (Lake Mashu)>　3. もり（白神山地）<forest (Shirakami Mountain Range)>　4. 川（四万十川）<river (Shimanto River)>　5. さきゅう（鳥取砂丘）<sand dune (Tottori Sand Dunes)>　6. たき（那智の滝）<waterfall (Nachi Falls)>

日本まつり

だい7か 雨が ふったら、どう しますか

19. 友だちに イベントの ボランティアを たのみます／こたえます
    Ask your friend to help as a volunteer at an event/Respond to a request for help
20. スタッフの ミーティングで 聞いた しじについて しつもんします
    Ask a question related to instructions you heard at a staff meeting
21. ボランティアの とうろくの ために ひつような ことを 書きます
    Write down the information necessary to register as a volunteer

---

だい8か コンサートは もう はじまりましたか

22. うけつけで イベントの 時間や 場所などについて 聞きます／言います
    Ask/Say at reception the time and venue of an event
23. うけつけで イベントが 今 どう なっているか 聞きます／言います
    Ask/Say at reception how an event is going
24. イベントの しかいしゃとして メモを 見ながら あいさつと おねがいを 言います
    Make a simple speech as the MC at an event giving a short greeting and making some requests of the audience, using notes

4

だい 7 か 雨(あめ)が ふったら、どう しますか

1 日本まつりの ボランティア

067 ボランティアスタッフの しごと

れんらく　あつまります

日本まつり
Japan Festival
7月1日～3日
ぼしゅうちゅう
募集中
いっしょにやりましょう！
ボランティアスタッフ
連絡先：さいとう
saitoo@marugoto.com ／ 090-1234-56XX

● あなたの 町(まち)でも 日本の イベントが ありますか。

2 ヨサコイが おしえられる 人を さがしています

7月に 日本まつりが あります。

さいとうさん

おねがい
できませんか。

(1) さいとうさんは 5人に 何を たのみましたか。(p62 c-h)

(2) 5人は 仕事を しますか。(はい ○、いいえ ×)

	1 エドワードさん	2 ナターリヤさん	3 エスターさん	4 タイラーさん	5 キャシーさん
(1)	g				
(2)	○				

ルールを はっけんしましょう。

ヨサコイが おしえられる 人を さがして(い)ます。

- うけつけの 仕事が できる 人を しって(い)ますか。
- (日本語が はなせます →　　　　　　　ひと) を さがして(い)ます。
- (マンガが かけます →　　　　　　　ひと) を さがして(い)ます。
- 日本語で (しかいが できます→　　　　　　　ひと) を しょうかいして ください。

<かのう potential>
V-(られ) る

ふつうけい (plain form)

できます → できる　　おしえられます → おしえられる
かけます → かける　　はなせます → はなせる

7

  →p150

友(とも)だちに イベントの ボランティアを たのみましょう。

エドワードさん、すみません。

はい、何(なん)ですか。

今(いま)、日本まつりで ヨサコイが おしえられる 人(ひと)を さがしてるんですが…。
おねがいできませんか。

ヨサコイですか。いいですよ。

はじめてですが、
やってみます。

ありがとうございます。
よろしく おねがいします。

こちらこそ。

じしん、ありません。すみません。

その 日(ひ)は つごうが わるいです。

むりです。

そうですか。ざんねんです。

③ もんだいが あったら、れんらくして ください

1 073-076 あしたは 日本まつりです。

さいとうさんと ボランティアの 人(ひと)たちが 話(はな)しています。

	1	2	3	4
	エドワードさん	ナターリヤさん	タイラーさん	エスターさん
	ヨサコイ	うけつけ	スピーチコンテスト	マンガきょうしつ
(1)	（ 9 ）時	（　）時（　）分	12時	1時
	ひろば	うけつけ	（ひろば・ホール）	（うけつけ・かいじょう）
(2)	（ a ）	（　）	（　）	（　）

たんとう　　ならべます

(1) 4人(にん)は 何時(なんじ)に どこに 行(い)きますか。

(2) さいとうさんは 4人(にん)の しつもんに どう こたえましたか。

a みどりホール　　b さいとうさん　　c たなかさん　　d 9時15分

7

2 ルールを はっけんしましょう。

雨(あめ)が ふったら、みどりホールに あつまって ください。

- カメラの 使(つか)いかたが わからなかったら、たなかさんに 聞(き)いて ください。
- 人(ひと)が たくさん（きます →　　　　）、はやく うけつけを はじめます。
- イベントの じゅんびが（おわります →　　　　）、さいとうさんに れんらく します。
- いすや テーブルの 場所(ばしょ)が（わかりません →　　　　）、さいとうさんに 聞(き)いて ください。

V-たら

きます → きたら
ふります → ふったら
おわります → おわったら
わかりません → わからなかったら

3 Can-do 20 リーダーと ボランティアスタッフに なって 話(はな)しましょう。

→p151

あした、朝(あさ) 9時(じ)に さくらひろばに あつまって ください。

朝(あさ) 9時(じ)に、さくらひろばですね。 わかりました。
雨(あめ)が ふったら、どうしますか。

雨(あめ)が ふったら、みどりホールに あつまって ください。

はい、わかりました。

4 ボランティアを します

ボランティアを する 人(ひと)は この カードを 書(か)いて ください。

日本まつりボランティアカード

名 前： タイラー・モス（Tyler Moss）

住 所（電話番号）： 090－456－12××

したい仕事： あんない　かいじょう　(さつえい)
うけつけ　しかい　つうやく　※（うけつけ）に丸

おべんとう： チキン　(やさい)

できること： にほんごが はなせます。
コンピューターが つかえます。

日本まつりボランティアカード

名 前：

住 所（電話番号）：

したい仕事： あんない　かいじょう　さつえい
うけつけ　しかい　つうやく

おべんとう： チキン　やさい

できること：

だい 8 か　コンセートは もう はじまりましたか

1 日本まつりの イベント

077 日本まつりで いろいろな イベントが あります。

日時(にちじ)　会場(かいじょう)　入場料(にゅうじょうりょう)　参加費(さんかひ)　無料(むりょう)

日本まつり

ことしも 来てね！

JAPAN FESTIVAL　7月1日～3日

a Jポップコンサート

日時：7月1日（金）、3日（日）
　　　午後2時～4時
会場：みどりホール
入場料：3000円(えん)

b じゅうどうデモンストレーション

日時：7月3日（日）
午前10時～11時
会場：みどりホール
入場無料

c たいこきょうしつ

日時：7月2日（土）
午前10時、11時半、午後2時
会場：みどりホール
参加費：500円

d カラオケコンテスト

日時：7月2日（土）
午後2時～4時
会場：さくらひろば
入場無料

はじまります
↓
おわります

} やっています

e プログラム

f うちわ

● うけつけの 人(ひと)に どんな ことを 聞(き)きますか。

2 何時(なんじ)に はじまるか、しっていますか

1 078-081 日本まつりに 来(き)て、話(はな)しています。

(1) 何(なん)について 話(はな)していますか。(p68 a-f)

(2) しりたい ことは 何(なん)ですか。(ア 時間(じかん) イ 場所(ばしょ))

	1	2	3	4
(1)	a			
(2)	㋐(2)時	ア( )時	ア( )時	ア( )時
	イ(ひろば・ホール)	イ(ひろば・ホール)	イ(ひろば・ホール)	イ(ひろば・ホール)

2 ルールを はっけんしましょう。

Jポップコンサート、何時(なんじ)に はじまるか、しって(い) ますか。

ふつうけい (plain form)

はじまりますか → はじまるか
もらえますか → もらえるか
やっていますか → やっているか

- カラオケコンテスト、どこで やって(い)るか、しって(い)ますか。
- たいこきょうしつ、何時(なんじ)に (はじまりますか →   )、聞(き)いてみましょう。
- あの うちわ、どこで (もらえますか →   )、聞(き)いてみましょう。

3 Can-do 22 →p151 p68の イベントについて 話(はな)しましょう。

Jポップコンサート、何時(なんじ)に はじまるか、しってますか。

わかりません。うけつけで 聞(き)いてみましょう。

あのう、すみません。
Jポップコンサートは 何時(なんじ)からですか。

2時(じ)からです。

ありがとうございます。

③ まだ やっていますか

見(み)たい イベントは 今(いま)、やっていますか。（はい ○、いいえ ×）

1  2 ☐ 3 ☐ 4  5 ☐

 ルールを はっけんしましょう。

じゅうどうデモンストレーションは もう はじまりました／まだ はじまって（い）ません。

A：Jポップコンサート、まだ やって（い）ますか。
B：いいえ、もう おわりました。

A：じゅうどうデモンストレーション、（　　　）はじまりましたか。
B：はい、もう はじまりました。

A：たいこきょうしつ、（　　　）やって（い）ますか。
B：はい、まだ やって（い）ます。

→p151 p68の イベントについて うけつけで 聞(き)きましょう。

(1)
すみません。じゅうどうデモンストレーション、もう はじまりましたか。

はい、もう はじまりました。

いいえ、まだ はじまってません。

入(はい)っても いいですか。

うしろから どうぞ。

何時(なんじ)に はじまりますか。

(2)

すみません。Ｊポップコンサート、まだ やってますか。

はい、まだ やってます。

いいえ、もう おわりました。

よかった！
入(はい)っても いいですか。

ざんねん！

4 ビデオは ごえんりょください

  しかいの 人(ひと)が 話(はな)しています。

1-4 は かいじょうで できますか。（はい ○、いいえ ×）

1 ×　2 ＿　3 ＿　4 ＿

  →p151

メモを 見(み)て、しかいをしましょう。

みなさん、ほんじつは おいそがしい 中(なか)
日本まつりカラオケコンテストに おいでくださって、
ありがとうございます。＊

はじめに みなさんに おねがいが あります。
この かいじょうでは 飲食(いんしょく)は ごえんりょください。
よろしく おねがいいたします。

写真(しゃしん)は だいじょうぶです。

＊ Ladies and gentlemen, thank you for making time in your busy schedule to join us for today's Japan Festival Karaoke Contest.

ボランティア

Volunteer work

ほかの 人の ために、ボランティアとして すすんで はたらく 人たちが います。

Voluntary work to help others.

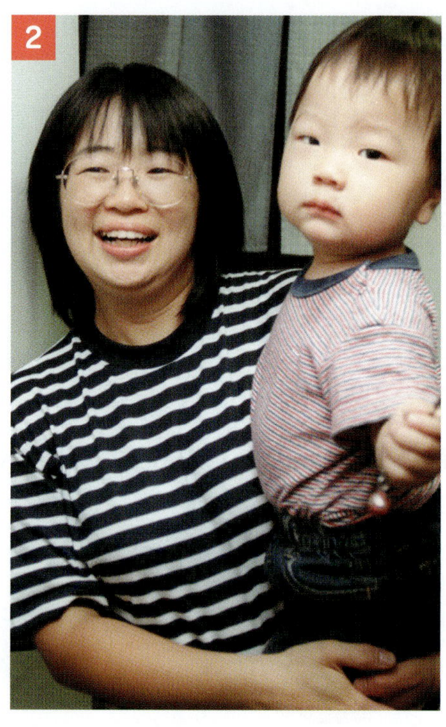

● **あなたは ボランティアを したことが ありますか。**

Have you ever done any volunteer work?

1. さいがいボランティア <disaster volunteer>　2. ほいくサポート <childcare support>
3. かんこうガイド <tour guide>　4. 雪おろしボランティア <snow removal volunteer>

とくべつな 日

だい 9 か　お正月は どう していましたか

25. 正月に 何を するか、どう 思うか 話します
Talk about what you usually do during the New Year's holidays and what you think about it

26. 正月休みを どう すごしたか 友だちに 話します
Tell a friend how you spent your New Year's holidays

27. ねんがじょうを 読みます
Read a New Year's greeting card

28. ねんがじょうを 書きます
Write a New Year's greeting card

だい 10 か　いい ことが ありますように

29. きせつの イベントについて 何の ために どんな ことを するか 話します
Talk about a seasonal event, saying what you do and why

30. 自分の 国や 町の イベントについて メモを 見ながら 話します
Make a simple presentation about an event in your country or town, using notes

だい 9 か　お正月（しょうがつ）は どう していましたか

1 正月（しょうがつ）の 休（やす）み

(1) 正月（しょうがつ）

あけまして
おめでとうございます

1月 1日（ついたち） 元日（がんじつ）

a あいさつを します

b あいさつを 読（よ）みます

c じんじゃや てらに 行（い）きます

d ごちそうを 食（た）べます

おせち料理（りょうり）

e あげます／もらいます

f あそびます

(2) 正月（しょうがつ）の じゅんび

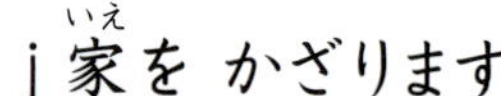

g 買（か）い物（もの）を します

h 料理（りょうり）を 作（つく）ります

i そうじを します

j 家（いえ）を かざります

● あなたの 国（くに）で、いちばん とくべつな 日（ひ）は いつですか。

2 お正月は いそがしいですか

090-093 正月について かぞく4人の 話を 聞きましょう。

(1) 4人は 何について 話していますか。(p74 a-j)

(2) 4人は どう 思っていますか。

めんどう

つまらない

ア

楽しくない

イ

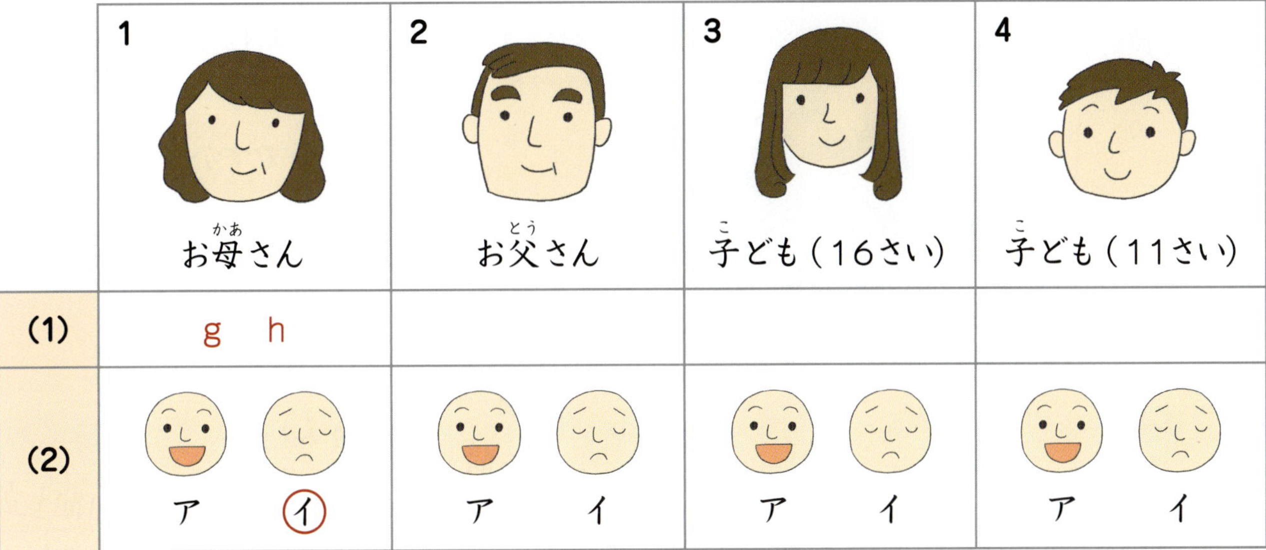

	1 お母さん	2 お父さん	3 子ども(16さい)	4 子ども(11さい)
(1)	g h			
(2)	ア (イ)	ア イ	ア イ	ア イ

しんせき

ルールを はっけんしましょう。

お正月は 買い物とか 料理とか じゅんびが たくさん あります。

- お正月は はつもうでとか ねんがじょうとか 毎年 おなじで つまらないです。
- 正月は(おおそうじ →)(かざりつけ →)
  ちょっと めんどうです。
- お正月は(おとしだま →)(ごちそう →)
  楽しい ことが たくさん あります。

  →p152 あなたの 国(くに)の 正月(しょうがつ)について 話(はな)しましょう。

正月(しょうがつ)／正月(しょうがつ)の じゅんびは どうですか。

いそがしいですよ。
買(か)い物(もの)とか 料理(りょうり)とか じゅんびが たくさん あります から。

正月(しょうがつ)の 料理(りょうり)ですか。

はい。正月(しょうがつ)は
料理(りょうり)を たくさん 作(つく)ります。

そうですか。

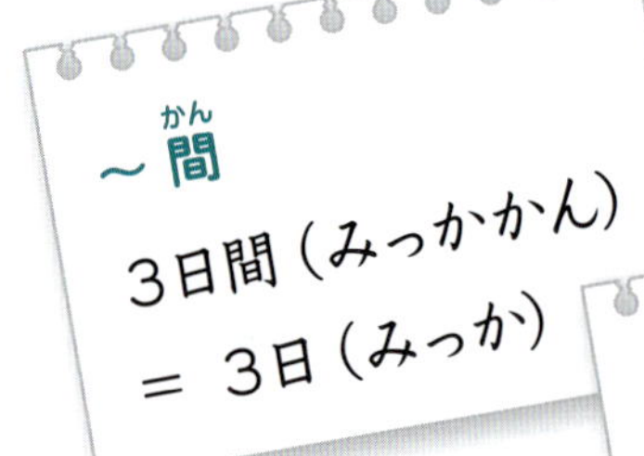

～間(かん)
3日間（みっかかん）
＝ 3日（みっか）
休(やす)みは 3日間(みっかかん)しか
ありません。

❸ お正月(しょうがつ)は どう していましたか

  正月(しょうがつ)の 休(やす)みについて 4人(にん)の 話(はなし)を 聞(き)きましょう。

	1	2	3	4
	カーラさん	キムさん	シンさん	よしださん
(1)	a			
(2)	e			

(1) ４人は 正月の 休みに どこに いましたか。

ａ フランス　ｂ ホンコン　ｃ 東京　ｄ 自分の 家

(2) 何を しましたか。

e

f

g

h

2 ルールを はっけんしましょう。

(1) お正月の 休みは ずっと フランスに かえって(い)ました。

- 4日間、ホンコンに 旅行に 行って(い)ました。
- いもうとが 東京に (あそびに きます → ＿＿＿＿＿＿ いました)。
- うちで (ごろごろします → ＿＿＿＿＿＿ いました)。

V-て

ごろごろします → ごろごろして　　きます → きて
かえります → かえって　　いきます → いって

(2) ひさしぶりに おやや しんせきに 会えて、よかったです。

- つまや 子どもと いっしょに すごせて、よかったです。
- いもうとに 東京を (あんないできます → ＿＿＿＿＿＿)、よかったです。
- インドえいがの DVD が たくさん (みられます → ＿＿＿＿＿＿)、よかったです。

<かのう potential>
V-(られ) て

あんないできます → あんないできて　　みられます → みられて／みれて
あえます → あえて　　すごせます → すごせて

→p152

正月の 休みの あとで 友だちと 話しましょう。

あけまして おめでとうございます。

あけまして おめでとうございます。

お正月の 休み は どう してましたか。

ずっと フランスに かえってました。

ああ、そうですか。どうでしたか。

おやに 会えて、よかったです。

そうですか。それは よかったですね。

休みは どのぐらい ありましたか。

3日間 しか
ありませんでした。

④ ねんがじょう

● ねんがじょうを 読(よ)みましょう。

あけましておめでとうございます
今年もどうぞよろしく
おねがいします
令和六年　元旦
ジョイ・カーター

今年：ことし
令和：れいわ
元旦：がんたん

明けまして
おめでとうございます
旧年中はたいへんお世話になりました。
今年もどうぞよろしくお願いいたします。
令和六年　元旦
田中新一

旧年中：きゅうねんちゅう
世話：せわ
お願い：おねがい

● 自分(じぶん)で 書(か)きましょう。

だい10か　いい ことが ありますように

1　きせつの ぎょうじ

（1）きせつの ぎょうじ

2月3日(みっか) せつぶん

3月3日(みっか) ひなまつり

5月5日(いつか) 子(こ)どもの日(ひ)

7月7日(なのか) たなばた

11月15日 七五三(しちごさん)

(2) みんなの ねがい

● あなたの 国（くに）では、毎年（まいとし） どんな ぎょうじが ありますか。

2 ひなまつりって 何（なん）ですか

 100-104 きせつの ぎょうじについて 聞（き）きましょう。

～の ための～

	1 ひなまつり	2 子（こ）どもの日（ひ）	3 たなばた	4 七五三（しちごさん）	5 せつぶん
(1)	b				
(2)	f				

むかし

(1) だれの ためですか。

a みんな　b 女（おんな）の子（こ）　c 男（おとこ）の子（こ）　d 3さい、5さい、7さいの 子（こ）ども

(2) 何（なん）の ためですか。

e いい こと　f しあわせ　g せいちょう　h ながいき

10

2 ルールを はっけんしましょう。

(1) ひなまつりは、女(おんな)の子(こ)が しあわせに なるように ねがいます。

- せつぶんは、わるい ことが 来(こ)ないように、おにに まめを なげます。
- 七五三(しちごさん)は、子(こ)どもが 元気(げんき)に（せいちょうします → 　　　　　　　　ように）、じんじゃで いのります。
- たなばたは、いい ことが（あります → 　　　　　　　　ように）、ほしに ねがいます。
- せつぶんは、びょうきに（なりません → 　　　　　　　　ように）、おにに まめを なげます。

ピアノがじょうずに
なりますように
びょうきに
なりませんように

V-る／V-ない

ふつうけい（plain form）

せいちょうします → せいちょうする
きません → こない
あります → ある
なります → なる
なりません → ならない

(2) ひなまつりは にんぎょうを かざったりします。

- たなばたは かざりを 作(つく)ったり、ねがいごとを 書(か)いたりして、楽(たの)しみます。
- 子(こ)どもの日(ひ)は こいのぼりを（かざります → 　　　　　　　　します）。
- 七五三(しちごさん)の とき、きものを（きます → 　　　　　　　　）、写真(しゃしん)を（とります → 　　　　　　　　します）。
- せつぶんの とき、おにに まめを（なげます → 　　　　　　　　）、まめを（たべます → 　　　　　　　　して）、ながいきを ねがいます。

V-たり

きます → きたり	たべます → たべたり
なげます → なげたり	かきます → かいたり
かざります → かざったり	つくります → つくったり
とります → とったり	

→p152

きせつの イベントについて 話(はな)しましょう。

このにんぎょう、とくべつな ものですか。

ああ、それは ひなまつりの にんぎょうです。

ひなまつりって 何(なん)ですか。

ひなまつりは、女(おんな)の子(こ)の ための まつりですよ。
毎年(まいとし) 3月3日(みっか) です。

そうですか。

女(おんな)の子(こ)が しあわせに なるように
ねがいます／いのります。

にんぎょうを かざったりします。

おもしろいですね。

10

❸ いろいろな まつり

1 🔊105 写真(しゃしん)を 見(み)ながら、聞(き)きましょう。

1. これは、佐倉市(さくらし)の 秋(あき)まつりです。
2. 毎年(まいとし) 10月に あります。
3. まつりの とき、町(まち)に きれいな にんぎょうを かざったり、みんなで おどったりします。
4. そして、ほうさく*を いわいます。

* ほうさく：a good harvest

→p152

あなたの 国(くに)や 町(まち)で、どんな まつりや イベントが ありますか。

メモを 書(か)いて、クラスで 話(はな)しましょう。

1 何(なん)と いう まつり / イベントですか。どこの まつり / イベントですか。

これは、(　　　　　　　　) の
(　　　　　　　　　　　) と いう まつり / イベントです。

2 毎年(まいとし)、いつ ありますか。

毎年(まいとし)、(　　　　　　　　) あります。

3 どんな ことを しますか。

まつり / イベントの とき

(　　　　　　　　　　　) を 食(た)べます
(　　　　　　　　　　　) を 飲(の)みます
(　　　　　　　　　　　) を かざります
(　　　　　　　　　　　) に 行(い)きます
(　　　　　　　　　　　) を うたいます
(　　　　　　　　　　　) を おどります
(　　　　　　　　　　　　　　　)

そして

4 その まつり / イベントには、どんな いみが ありますか。

(　　　　　　　　　　　) を ねがいます / いのります
(　　　　　　　　　　　) を いわいます / かんしゃします
(　　　　　　　　　　　　　　　)

10

日本の 正月(しょうがつ)休(やす)み

New Year's holidays in Japan

12月20日　23 ・・・・・・ 28　29　30　31　1月1日　2　3　4

● **あなたの 国(くに)の とくべつな 休(やす)みは いつですか。どう すごしますか。**

When is there a special holiday in your country? What do you do on that day?

1. 正月(しょうがつ)の 買(か)い物(もの) <New Year's shopping>　2. 出国(しゅっこく)ラッシュ <rush caused by people going overseas on holiday>　3. きせいラッシュ <rush caused by people returning to their hometown>　4. 年(とし)こしそば <soba noodles eaten on New Year's Eve>　5. じょやのかね <temple bells rung on New Year's Eve>　6. はつもうで <the first visit of the year to a shrine or temple>　7. デパートの はつうり <the first business of the year in a department store>　8. 仕事(しごと)はじめ <the first business day of the year>

テストとふりかえり 1（トピック 1-5） Test and Reflection 1 (Topics 1-5)

この 時間では つぎの 4つの ことを します。3 と 4 は 何語で 話しても いいです。
In Test and Reflection 1 you will do these four things. You can speak in any language for 3 and 4

れい：120 分のばあい Example: with a class length of 120 minutes

15 分	80 分	25 分
1 Can-do チェック 'Can-do Check'	2 1人ずつ テストを うけます Take the test one person at a time 3 テストの あいだに グループで 話します Speak in groups while waiting to take your test	4 クラスで 話します Speak as a class

1 Can-do チェック 'Can-do Check'

Can-do チェック（p180-p183）を 見なおしましょう。
もういちど やってみたい Can-do を えらんで ペアで れんしゅうしましょう。
あなたに とって たいせつな Can-do を えらびましょう。

Look again at the 'Can-do Check' on page 180-183. Choose the Can-do statements you want to try again and practise in pairs. Choose the Can-do statements that are important to you.

2 テスト Test

1人ずつ 先生の ところに 行って テストを うけます。テストは 1人 5 分です。

Take the test one person at a time. The test takes 5 minutes per person.

（1）もじテスト Japanese character test

たとえば つぎの ような ぶんを 読みます。ぜんぶ 読めるように がんばりましょう。

For example, you will read sentences like the following. Try your best to read them all.

れい Example

3にんきょうだいの いちばんめですから、いちろうと いう なまえです。

ピアノが じょうずに なりますように。

みなさん、本日(ほんじつ)は おいそがしい中(なか)、日本まつりに おいでくださって、ありがとうございます。

（２）かいわテスト　Conversation test

・先生の しつもんを 聞いて、かいわを して ください。

Listen to the question from your teacher, and have a conversation.

れい　Example

「（あなたの 国の かんこうち）に 行きたいんですが、７月は どうですか。」

"I'm thinking of visiting xxx (a sightseeing spot in your country).
Do you think July is a good season to go?"

「今年の 休み（正月など とくべつな 休み）は どう してましたか。」

"What did you do during (the New Year's holidays)?"

・カードを 読んで、先生と かいわを して ください。

Read the card and have a conversation with your teacher.

れい　Example

> 日本の 友だちを あなたの おすすめの レストランに つれてきました。
> 友だちと そうだんして 料理を ちゅうもんして ください。
> You have taken a Japanese friend to a restaurant that you recommend.
> Discuss with him/her what to order.

かいわテストでは 勉強した ことばを できるだけ たくさん 使いましょう。
しつもんが わからない ときは もういちど 聞きましょう。

In the conversation test, try to use the Japanese you have learned as much as possible. You can ask the teacher to repeat the question if you don't understand.

〈 かいわテストの ひょうか 〉 Evaluating your performance

もっと すごい Magnificent !	みじかな ことについて はっきりした 話しかたで しつもんされたら、 すぐに ぜんぶ こたえることが できます。 ２つ いじょうの ぶんを つづけて たくさん 話すことが できます。 You were able to immediately answer all questions about a familiar topic, provided the other person spoke clearly. You were able to speak using two or more sentences in a row.
ごうかく Well done !	みじかな ことについて はっきりした 話しかたで しつもんされたら、 ほとんど こたえることが できます。 You were able to answer most questions about a familiar topic, provided the other person spoke clearly.
もう すこし Getting there !	みじかな ことについて はっきりした 話しかたで とても ゆっくり しつもんされたら、 すこし こたえることが できます。 You were able to partially answer questions about a familiar topic, provided the other person spoke clearly and slowly.

3 グループで 話しましょう。　Speak in groups.

テストの あいだに ４人ぐらいの 小さい グループに なって ①と②を 見せて 話しましょう。

While waiting to take your test, make small groups of about four people, show ① and ② below and talk about them.

①日本語・日本文化の たいけんきろく

Records of your experiences of Japanese language and culture

②自分で 書いたもの

・だい７か ❹ 日本まつりボランティアカード

・だい９か ❹ ねんがじょう

Things you wrote in lesson 7: Japanese registration card, and lesson 9: New Year's greeting card.

4 グループで 話しあった ことを クラスの 人にも 話しましょう。

Share the things you talked about in groups with other people.

ネットショッピング

だい11か **そうじきが こわれて しまったんです**

31. 今、何を、どうして 買うのか 話します
    Talk about what you are going to buy and why
32. ネットショッピングについて どう 思うか 話します
    Say what you think about online shopping

だい12か **こっちの ほうが 安(やす)いです**

33. 電気せいひんについて どう 思うか 話します
    Talk with a friend about what you think of an electrical appliance
34. 2つの しょうひんを くらべて どう 思うか 話します
    Compare two products and say what you think about them

6

だい11か そうじきが こわれて しまったんです

1 ネットショッピング

106 ネットショッピングの サイト

電気製品（でんきせいひん） 商品（しょうひん）

● あなたは よく ネットショッピングを しますか。どうしてですか。

② そうじきが こわれて しまったんです

  107-110 4人(にん)は 新(あたら)しい 電気(でんき)せいひんを さがしています。どうしてですか。

1  a
シンさん

2 
キムさん

3 
ジョイさん

4 
パクさん

a 
こわれます

b 
ちょうしが わるい

c 

おとが 出(で)ません

d 
うごきません

11

 ルールを はっけんしましょう。

(1) 音楽(おんがく)プレーヤーの おとが 出(で)なく なりました。

- せんたくきが うごかなく なりました。
- テレビの おとが (でない → 　　　　なりました)。
- エアコンが (うごかない → 　　　　なりました)。

V- ない → く

でません：
　でない → でなく
うごきません：
　うごかない → うごかなく

(2) 音楽(おんがく)プレーヤーを 水(みず)の 中(なか)に おとして しまったんです。

- せんたくきが うごかなく なって しまったんです。
- そうじきが (こわれます → 　　　　しまったんです。)
- れいぞうこの ちょうしが (わるく なります → 　　　　しまったんです。)

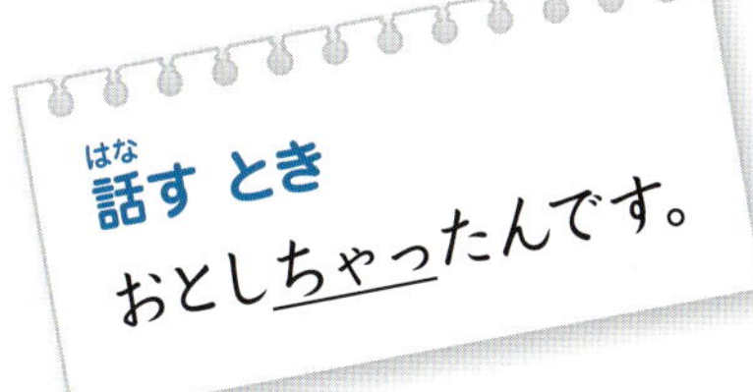

V- て

こわれます →こわれて	おとします →おとして
わるく なります → わるく なって	うごかなく なります → うごかなく なって

→p153 インターネットで 何(なに)を 買(か)いますか。どうしてですか。

シンさん、何(なに)を 見(み)てるんですか。

ネットショッピングの サイトです。

何(なに)か 買(か)うんですか。

はい。そうじきを さがしてます。
今(いま)、使(つか)ってるのが こわれて しまったんです。

それは こまりましたね。

それは たいへんですね。

使(つか)って(い)るの
= 使(つか)って(い)る そうじき

③ よく ネットショッピングを します

ネットショッピングについて 4人(にん)の 話(はなし)を 聞(き)きましょう。

(1) 4人は ネットショッピングを しますか。
(よく します ○、ときどき します △、ぜんぜん しません ×)

(2) どうしてですか。

	1 かわいさん	2 すずきさん	3 のださん	4 よしださん
(1)	○			
(2)	a			

a

b

c

d

 ルールを はっけんしましょう。

ネットショッピングは 店に 行かないで 買い物できます。

- ネットショッピングは 時間を 気に しないで 買い物できます。
- 私は 店で しょうひんを （みない →　　　　　　） 買うのは しんぱいです。
- 私は てんいんの 話を （きかない →　　　　　　） しょうひんを 買うのは しんぱいです。

V- ない で

みません：みない → みないで	いきません：いかない → いかないで
ききません：きかない → きかないで	しません：しない → しないで

  →p153 ネットショッピングについて どう 思いますか。

かわいさんは よく ネットショッピングを しますか。

はい、よく します。
店に 行かないで
買い物できますから。

いいえ、あまり しません。
店で 見ないで 買うのは
ちょっと しんぱいですから。

ときどきです。

そうですか。

したこと、ありません。

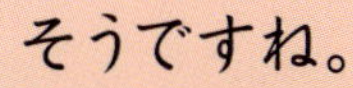
そうですね。

ああ、わかります。

11

だい12か こっちの ほうが 安(やす)いです

1 ユーザーコメント

115 どんな そうじきですか。

省(しょう)エネ＝省(しょう)エネルギー　翌日(よくじつ)　送料無料(そうりょうむりょう)　税込(ぜいこみ)　機能(きのう)

【カデン市場】電気製品...
http://www.jfkaden.co.jp/search/model_A
4 翌日とどきます! 送料無料
JFそうじき <Aモデル> 1
カラー　グレー、レッド
サイズ　25.5×36.5×26.5cm
おもさ 2　3.5kg
音の 大きさ　70dB
ねだん 3　9,980円(税込)
5 ごみを すてるのが かんたん!
6 べんりな 機能 いろいろ!
省エネモード!
7 みんなの レビュー
デザイン 4.4
省エネ 4.4
サイズ 3.6
おもさ 3.6
おとの 大きさ 3.2
ねだん 4.8
4.00
8 ユーザーコメント
色(いろ)が 気(き)に いりました。ごみを すてるのが 楽(らく)です。思(おも)ったより 音(おと)が 大(おお)きいですが、まんぞくしています。
netmamaさん

● 新(あたら)しい 電気(でんき)せいひんを 買(か)う とき、だいじな ことは 何(なん)ですか。

❷ ちょっと 大(おお)きすぎると 思(おも)います

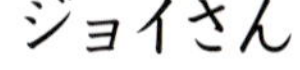

ジョイさんは ほしい しょうひんについて 友(とも)だちの いけんを 聞(き)きます。

(1) おもさ、サイズ、きのう、使(つか)いかたは どうですか。

(2) 友(とも)だちの いけんは どうですか。(a いい  b あまり よくない )

1

かわいさん

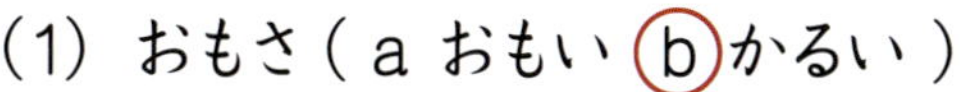

(2)  

2

のださん

(1) サイズ (a 大(おお)きい b 小(ちい)さい)

(2) 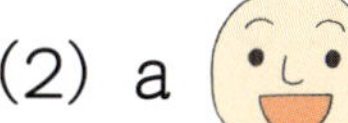 

3

よしださん

(1) きのう (a 多(おお)い b 少(すく)ない)

(2) 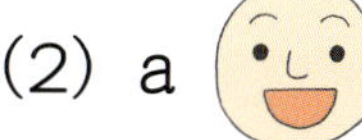 b

4

すずきさん

(1) 使(つか)いかた (a ふくざつ b かんたん)

(2)  

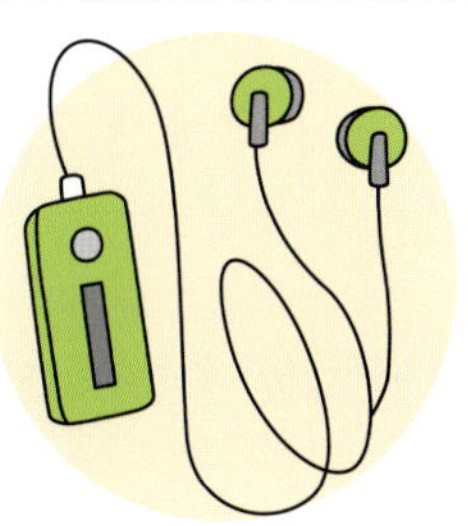

12

 ルールを はっけんしましょう。

イA-~~い~~ ＋ すぎる／すぎて

ちいさい → ちいさすぎる／ちいさすぎて
たかい → たかすぎる
おおい → おおすぎて

(1) この れいぞうこは 小(ちい)さすぎると 思(おも)います。

- この れいぞうこは 小(ちい)さすぎて、あまり よくないですよ。
- この せんたくきは ねだんが（たかい →　　　　　　）と 思(おも)います。
- きのうが（おおい →　　　　　　）、あまり よくないと 思(おも)います。

(2) この せんたくきは きのうが 多(おお)すぎて、使(つか)いにくいと 思(おも)います。

- この そうじきは かるくて、使(つか)いやすそうです。
- この れいぞうこは 小(ちい)さすぎて、（つかいます ＋ にくい →　　　　　　）と 思(おも)います。
- この 音楽(おんがく)プレーヤーは きのうが かんたんで、（つかいます ＋ やすい →　　　　　　そうです）。

V-~~ます~~ ＋ にくい／やすい

つかいます
→ つかいにくい／つかいやすい

  →p153 電気(でんき)せいひんを 見(み)て、友(とも)だちと 話(はな)しましょう。

これ、どう 思(おも)いますか。

ちょっと 小(ちい)さすぎる と 思(おも)います。

いいと 思(おも)います。
使(つか)いやすそうですよ。

でも、うちは かぞくが 少(すく)ないので、
だいじょうぶです。

ううん。
小(ちい)さすぎて、使(つか)いにくい と 思(おも)いますよ。

そうかもしれませんね。

そうですね。

③ A モデルの ほうが 安(やす)いです

ジョイさんの ために 友(とも)だちが サイトの じょうほうを せつめいします。

(1) ジョイさんは A モデルと B モデルの どちらを 買(か)いますか。

(2) どうしてですか。A モデルと、B モデルについて チェックしましょう。☑

1　A　B

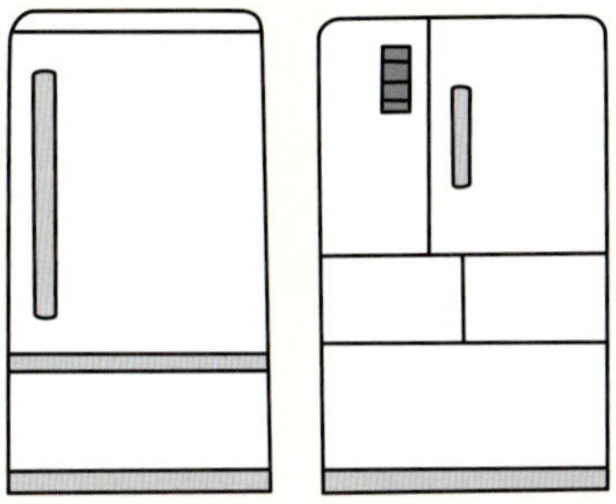

		A	B
(1)	買(か)います	Ⓐ	B
(2)	安(やす)い		✓
	省(しょう)エネ	✓	

2　A　B

		A	B
(1)	買(か)います	A	B
(2)	安(やす)い		
	使(つか)いやすい		

3　A　B

		A	B
(1)	買(か)います	A	B
(2)	省(しょう)エネ		
	使(つか)いやすい		

4　A　B

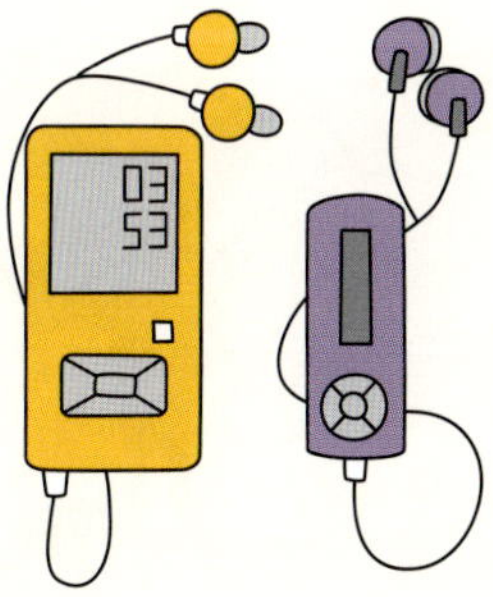

		A	B
(1)	買(か)います	A	B
(2)	デザインが いい		
	はやく とどきます		

ルールを はっけんしましょう。

ねだんは（A モデルより）B モデルの ほうが 安(やす)いです。

- A モデルの ほうが（B モデルより）省(しょう)エネです。
- デザインは（A モデル →　　　　　　　　が）いいと 思(おも)います。
- （B モデル →　　　　　　　　が）はやく とどきます。
- （A モデル →　　　　　　　　が）かるくて 使(つか)いやすそうです。

Can-do 34 →p153

2つの しょうひんを くらべて、友(とも)だちと話(はな)しましょう。

あなたは どちらを 買(か)いますか。

新(あたら)しい れいぞうこは、A と B、どっちが いいですか。

ねだんは どっちが 安(やす)いですか。

ねだんは B モデルの ほうが 安(やす)いです。

じゃあ、どっちが 省(しょう)エネですか。

たぶん、A モデルだと 思(おも)います。

そうですか。じゃあ、A モデルに します。

いろいろな 店

Various shops

● **あなたは どんな 店で どんな 物を 買いますか。**

What kind of shops do you go to? What do you buy there?

1. せんもんてん <specialist store>　2. こじんしょうてん <privately owned store>　3. スーパー <supermarket>　4. コンビニ <convenience store>

れきしと 文化の 町

だい13か　この おてらは 14せいきに たてられました

35. おなじ ツアーの グループの 人に その かんこうちに はじめて 来たのか 聞きます／言います
    Ask/Tell someone in the same tour group if it is his or her/your first time to visit a sightseeing spot
36. ゆうめいな 場所について かんたんに 話します
    Talk briefly about a famous place
37. かんこうちの ノートに 書いてある コメントを 読みます
    Read comments written in the visitor comment book at a sightseeing spot
38. かんこうちの ノートに コメントを 書きます
    Write a comment in the visitor comment book at a sightseeing spot

---

だい14か　この 絵は とても ゆうめいだそうです

39. はくぶつかんで てんじぶつの せつめいの ないようを 友だちに かんたんに つたえます
    Tell a friend in simple terms what the description of an exhibit in a museum says
40. はくぶつかんの ルールについて 話します
    Talk about the rules in a museum

7

だい13か　この おてらは 14せいきに たてられました

1 れきしと 文化(ぶんか)

124 れきしと 文化(ぶんか)の 町(まち)、京都(きょうと)を 歩(ある)いてみましょう。

● あなたの 町(まち)には どんな れきしと でんとう文化(ぶんか)が ありますか。

てんのう

① 御所（ごしょ）

下鴨神社

詩仙堂

じんじゃ

⑤ 平安神宮（へいあんじんぐう） 1895

大

銀閣寺

京都御所

平安神宮

⑧ 四条河原町（しじょうかわらまち）

⑥ 清水寺（きよみずでら） 8C

知恩院

八坂神社

まいこさん

京都国立博物館

高台寺

清水寺

東本願寺

三十三間堂

⑦ 祇園（ぎおん）

2 京都(きょうと)は はじめてですか

  125-128 みんなで 京都(きょうと)を 見(み)に 来(き)ました。

(1) 京都(きょうと)は 何回目(なんかいめ)ですか。 (2) 前(まえ)に 来(き)た とき、何(なに)を しましたか。(a-d)

パクさん	アニスさん	シンさん	リリーさん
1 1 回目	2 回目	3 回目	4 回目

a 
b 

c 
d 

 ルールを はっけんしましょう。

京都(きょうと)は 何(なに)を 見(み)ても 楽(たの)しいですよ。

V-ても

きます → きても	みます → みても
たべます → たべても	いきます → いっても

- 京都(きょうと)は いつ 来(き)ても しぜんが きれいですよ。
- 京都(きょうと)は どこに (いきます → 　　　　　　) おもしろいですよ。
- 京都(きょうと)は 何(なに)を (たべます → 　　　　　　) おいしいですよ。

  Can-do 35 →p154 あなたは かんこうツアーの リーダーです。

おなじ ツアーの 人(ひと)と 話(はな)しましょう。

京都(きょうと)は はじめてですか。

はい、はじめてです。
今日(きょう)は よろしく おねがいします。

いいえ、2回目(かいめ)です。去年(きょねん)の 春(はる)、来(き)ました。

そうですか。どうでしたか。

さくらが とても きれいでした。

京都(きょうと)は いつ 来(き)ても しぜんが きれいですよ。

はい、今日(きょう)も 楽(たの)しみです。

③ この おてらは 14せいきに たてられました

ほんもの

129-132 ゆうめいな ばしょについて ガイドの 人の 話を 聞きましょう。

(1) どの ぐらい 古いですか。　(2)(1) の ほかに ガイドの 人は どんな 話を しましたか。

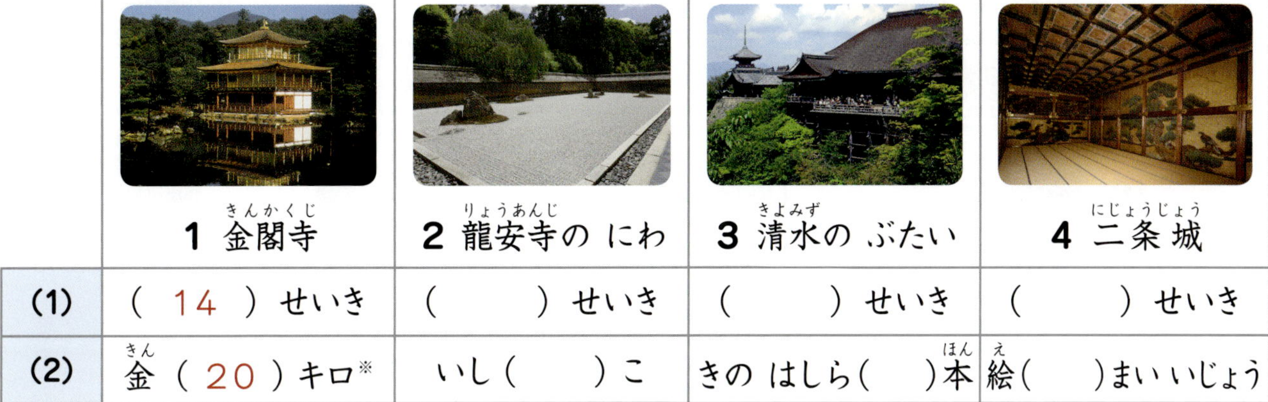

	1 金閣寺（きんかくじ）	2 龍安寺（りょうあんじ）の にわ	3 清水（きよみず）の ぶたい	4 二条城（にじょうじょう）
(1)	（ 14 ）せいき	（　　）せいき	（　　）せいき	（　　）せいき
(2)	金（ 20 ）キロ※	いし（　　）こ	きの はしら（　　）本	絵（　　）まい いじょう

※金箔（きんぱく）の重さ (weight in gold leaf)

14、15、17、20、139、3000、？

13

ルールを はっけんしましょう。

～によって

この おてらは しょうぐんによって 14せいきのおわりに たてられました。

- この へやは しょうぐんが 人に 会う ときに 使われました。
- この にわには 15この いしが（おきました →　　　　　　　）。
- まつの きは おめでたい きなので、たくさんの 絵に（かきました →　　　　　　　）。

<うけみ passive>
V-（ら）れます

おきます → おかれます	かきます → かかれます
たてます → たてられます	つかいます → つかわれます

よかったら、写真を とって ください。

ここから いい 写真が とれますよ。

4 京都(きょうと)では 京(きょう)ことばが 話(はな)されています

133-136 みんなで 京都(きょうと)の 町(まち)を 歩(ある)いています。 何(なん)について 話(はな)していますか。

1 a　2 　3 　4

a

b

c

d

ルールを はっけんしましょう。

京都(きょうと)では 京(きょう)ことばが 話(はな)されて(い)ます。

- この あたりは まいこさんの 町(まち)として かいがいでも よく しられて(い)ます。
- この 店(みせ)では むかしから この おかしが (つくります →　　　　　います)。
- この おかしは ざっしで よく (しょうかいします →　　　　　います)。

<うけみ passive>
V-(ら)れて います

しょうかいします：しょうかいされます → しょうかいされています
しります：しられます → しられています
つくります：つくられます → つくられています
はなします：はなされます → はなされています

→p154

あなたは 今(いま)、ゆうめいな 町(まち)を 歩(ある)いています。どんな ところですか。

この あたりは 日本てきで、きれいですね。

はい。この あたりは 祇園(ぎおん)と いう ところです。
まいこさんの 町(まち)として、よく しられてます。

そうですか。

私(わたし)も 写真(しゃしん)を 見(み)たことが あります。

友(とも)だちから 聞(き)いたことが あります。

5 京都(きょうと)の おもいで

ゆうめいな 場所(ばしょ)には コメントを 書(か)く ノートが あります。

月日	名前	場所／国名	コメント
2012年 10月31日	小川	大阪	今日は 外国人の 友だちと 来ました。 しずかで きもちが いい にわですね。 つぎは 春に 来たいです。
2012年 11月3日	カタリーナ	ケルン （ドイツ）	ドイツから 来ました。 日本の もみじは とても きれいです。 国の ともだちに 見せたいです。 メールで しゃしんを おくりました。

13

だい14か この 絵(え)は とても ゆうめいだそうです

1 はくぶつかん

ぶんかざい
<cultural properties>

はくぶつかんには いろいろな ぶんかざいが あります。

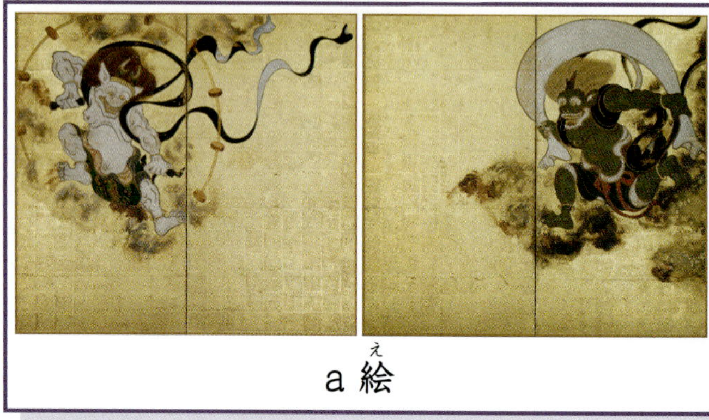

a 絵(え)

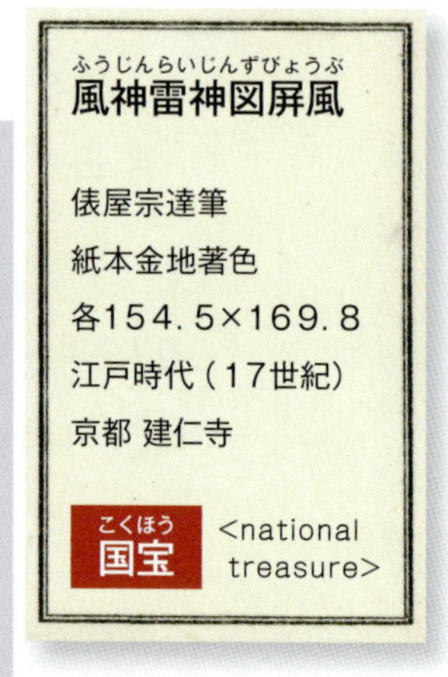

風神雷神図屛風(ふうじんらいじんずびょうぶ)
俵屋宗達筆
紙本金地著色
各154.5×169.8
江戸時代（17世紀）
京都 建仁寺
国宝(こくほう) <national treasure>

g にんぎょう

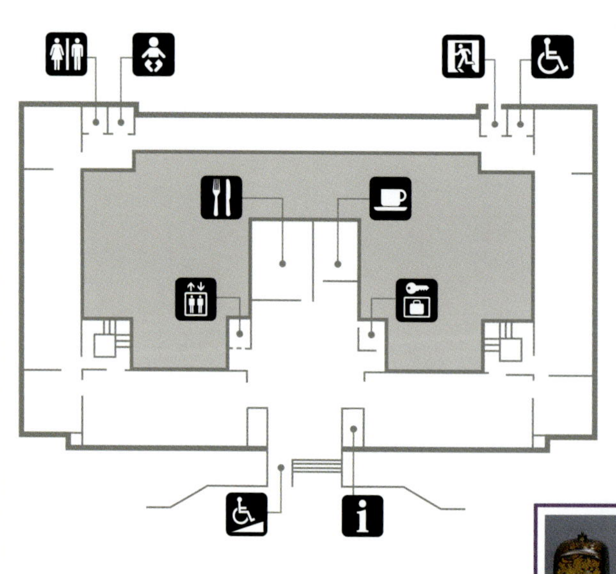

b おりもの

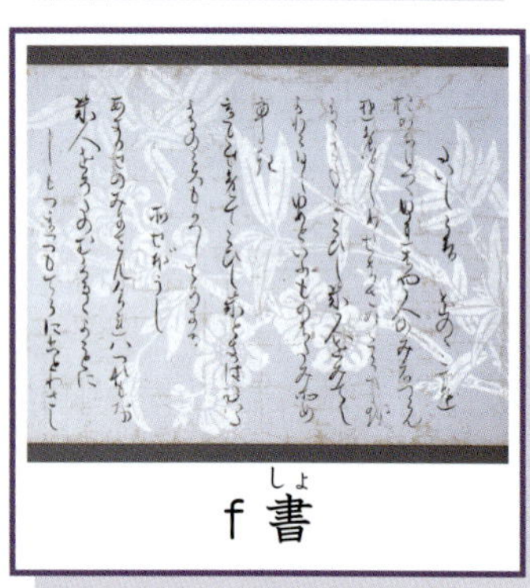

f 書(しょ)

e やきもの

d かたな

c どうぐ

● あなたの 町(まち)の はくぶつかんには、どんな ものが ありますか。

2 この絵(え)は こくほうだそうです

1 138-142 はくぶつかんで ぶんかざいを 見(み)ます。

おがわさんの せつめいを 聞(き)きましょう。

(1) 何(なに)を 見(み)て 話(はな)していますか。(p108 a-g)

(2) (1) と かんけいが ある ことばは どれですか。

h ペルシャ　i 風(かぜ)と かみなりの かみさま
j ゆしゅつ　k こいの うた　l おはか

	1	2	3	4	5
(1) 何(なに)	a				
(2) ことば	i				

2 ルールを はっけんしましょう。

(1) この 絵(え)は 17せいきに かかれたそうです。

- この 絵(え)は とても ゆうめいだそうです。
- この 絵(え)は こくほうだそうです。

- この にんぎょうは（おとこのひとです → 　　そうです）。
- ペルシャの じゅうたんは ポルトガルの ふねで 日本に（はこばれました → 　　そうです）。
- この 本(ほん)に こいの うたが（かかれています → 　　そうです）。
- ヨーロッパの 人(ひと)は これに ワインを（いれました → 　　そうです）。

ふつうけい (plain form)

いれました → いれた
はこばれました → はこばれた
かかれました →かかれた
かかれています → かかれている

こくほうです → こくほうだ
おとこのひとです → おとこのひとだ
ゆうめいです → ゆうめいだ

14

(2) これは ヨーロッパに ゆしゅつする ために、作られました。

・ヨーロッパの 人は ワインを いれる ために、これを 使ったと 思います。
・秀吉*と いう 人が、せんそうの とき（きます →　　　　ために）、ペルシャの じゅうたんで ふくを 作りました。　*豊臣秀吉 とよとみ ひでよし（1537-1598）
・この にんぎょうは おはかに（いれます →　　　　ために）、作られました。

V-る

ゆしゅつします → ゆしゅつする	きます → きる
いれます → いれる	つくります → つくる

→p154

友だちの ために ぶんかざいの せつめいを かんたんに してみましょう。

これ、おもしろいですね。

はい、これは ゆうめいな 絵です。

やっぱり！

すごいですね。

こくほうだそうです。

いつごろ かかれた ものですか。

17せいきに かかれたそうです。

それは わからないそうです。

何の ために？

どうして？

そうですか。

ゆしゅつするために
作られました。

3 さつえいきんしと 書(か)いてあります

 143-147 どの サインについて 話(はな)していますか。

1 b　2 ＿　3 ＿　4 ＿　5 ＿

a	b	c	d	e
  フラッシュ撮影禁止	 撮影禁止	 携帯電話 使用禁止	 飲食ご遠慮下さい	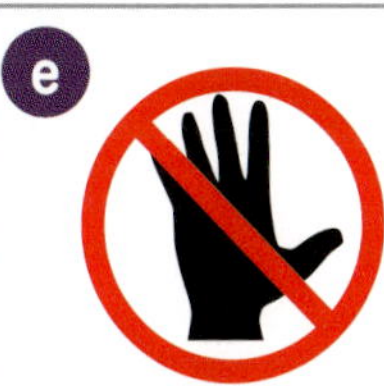 さわらないで下さい

禁止(きんし)　ご遠慮下(えんりょくだ)さい

～と 書(か)いてあります

2 ルールを はっけんしましょう。

かたなの 写真(しゃしん)を とっても いいですか。

- この きものに さわっても いいですか。
- けいたい電話(でんわ)を（つかいます → 　　　　　いいですか）。
- ここで（たべます → 　　　　　いいですか）。

V-て も

たべます → たべても
さわります → さわっても
つかいます → つかっても
とります → とっても

3 Can-do 40 →p155 はくぶつかんの ルールについて 話(はな)しましょう。

この にんぎょう、きれいですね。写真(しゃしん)、とっても いいですか。

あ、写真(しゃしん)は だめです。
あそこに さつえいきんしと 書(か)いてありますから。

すみません。　そうですか。
ごめんなさい。　ざんねんです。

でんとう文化と 今の せいかつ

Traditional culture in modern life

1

2

3

4

5

● **あなたの 国の でんとう文化は、今の せいかつに どのように とりいれられて いますか。**

How is traditional culture incorporated into modern life in your country?

1. 西陣織の ネクタイ <Nishijin-brocade ties> 2. 友禅の ふく <clothes made of Yuzen-dyed fabrics> 3. うるしの けいたいケース <mobile phone cases with Japanese lacquer> 4. 町屋の レストラン <traditional Kyoto 'machiya' house converted into a restaurant; exterior and interior> 5. まっちゃの おかし <green tea sweets>

せいかつと エコ

だい15か

電気(でんき)が ついたままですよ

41. かんきょうに よくない ことを 見つけて、ちゅういします／こたえます
Point out a non eco-friendly practice to someone/Respond to this
42. 自分の エコかつどうについて 話します
Talk about an eco-friendly activity you engage in

だい16か

フリーマーケットで うります

43. ものを むだに しないために 何を しているか 話します
Talk about what you do to make the best use of things before disposing of them
44. いらない もので 作った ものについて 話します
Talk about something you made by recycling a thing you no longer needed

8

だい15か 電気(でんき)が ついたままですよ

1 エコかつどう

省(しょう)エネ

148
かんきょうの ために
エコかつどうを しましょう。
eco-friendly activities
電気
1 電気を つけます／けします
エアコン／へやの おんどを あげます／さげます
かみ
2 むだな コピーを しません
かみを むだに しません
ごみ
もったいない
3 リサイクルします
ごみを わけます
ごみを へらします
プラ
カン
ビン
水
4 あぶらを ながしません
水を よごしません
くうき
5 くうきを よごしません
くうきを きれいに します

● あなたは かんきょうの ために 何(なに)か エコかつどうを していますか。

② 電気(でんき)が ついたままですよ

  149-152 へやは どう なっていますか。

1 a　2 　3 　4

a

b

c

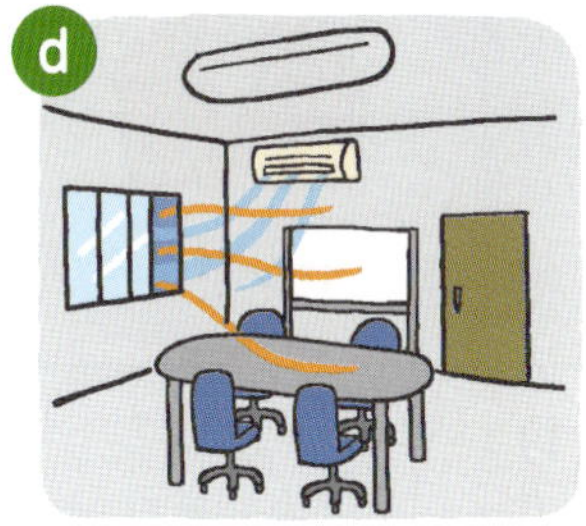
d

 ルールを はっけんしましょう。

エアコンが ついたままです。

・まどが あいたままです。
・電気(でんき)が（つきます → 　　　　　　まま）です。
・ドアが（あきます → 　　　　　　まま）です。

V-た
つきます → ついた
あきます → あいた

15

  Can-do 41 →p155

会社(かいしゃ)や 学校(がっこう)で エコかつどうを していますか。チェックしましょう。

かいぎは もう おわりましたか。

はい、おわりました。

かいぎしつの エアコンが ついたままですよ。

すみません。
けすのを わすれました。
すぐ けします。

気(き)を つけて くださいね。

電気(でんき)が もったいないですよ。

③ 自分の バッグを 持っていくように しています

ワンさんは エコかつどうについて 友だちと 話しています。

	1	2	3	4	5
	ヤンさん	さとうさん	やぎさん	シンさん	キムさん
(1)	c				
(2)	○				

(1) 友だちは どんな エコかつどうを していますか。

できるだけ

a

b

c

d

e

(2) ワンさんは その かつどうを していますか。(はい ○、いいえ ×)

2 ルールを はっけんしましょう。

(1) 買い物の とき、自分の バッグを <u>持っていくように して(い)ます</u>。

- スーパーの ふくろを できるだけ <u>もらわないように して(い)ます</u>。
- だいどころから あぶらを (ながしません → 　　　　　　ように しています)。
- むだな コピーを (しません → 　　　　　　ように しています)。

V-る／V-ない

もっていきます → もっていく	ながしません → ながさない
もらいません → もらわない	しません → しない

(2) エコバッグは ごみを へらすのに いいです。

- グリーンカーテンは へやの おんどを さげるのに やくに たちます。
- リサイクルは ごみを（へらします →　　　　　　）に いいです。
- しょくぶつは くうきを（きれいに します →　　　　　　）に やくに たちます。

V-るの

きれいに します → きれいに するの
へらします → へらすの
さげます → さげるの

Can-do 42 →p155

3 エコかつどうについて 友だちと 話しましょう。

どんな エコかつどうを してますか。

買い物の とき、自分の バッグを 持っていくように してますよ。

そうですか。私 も エコバッグ、持っていきます。
スーパーの ふくろを できるだけ もらわないように してます。

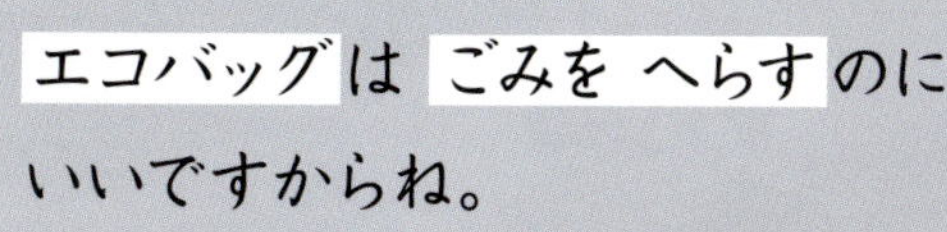
エコバッグは ごみを へらすのに
いいですからね。

そうですね。

15

だい16か　フリーマーケットで うります

1 フリーマーケット

いろいろな ものと わたし

1 あきます
2 すてます

3 サイズが かわります

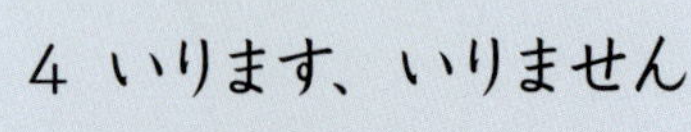

4 いります、いりません

いる もの、いらない もの

5 フリーマーケット
うります
買(か)います

6 レンタルショップ
借(か)ります

● あなたは 着(き)られない ふくや 読(よ)まない 本(ほん)を どう しますか。

2 フリーマーケットで うります

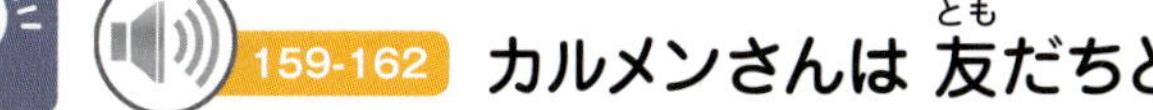

カルメンさんは 友(とも)だちと 話(はな)しています。

	1 よしださん	2 あべさん	3 さいとうさん	4 すずきさん
(1)	b			
(2)	f			

(1) 何(なん)について 話(はな)していますか。

(2) 友(とも)だちは どう すると 言(い)っていますか。

16

2 ルールを はっけんしましょう。

(1) くだものを たくさん もらったら、どう しますか。

- あかちゃんの ものが ひつように なったら、レンタルショップで 借ります。
- 使わない ものが（あります →　　　　　）、フリーマーケットで うります。
- 食べ物を（かいすぎます →　　　　　）、きんじょの 人*に あげます。
- いらない ものが（ふえます →　　　　　）、すてます。

V-たら

かいすぎます → かいすぎたら
ふえます → ふえたら
あります → あったら
（ひつように）なります → なったら
もらいます → もらったら

*きんじょの 人：neighbour

(2) サイズが かわって ふくが 着られなく なったら、どう しますか。

- ネクタイは あきて 使わなく なったら、おとうとに あげます。
- 子どもが 大きく なって くつが（はけない →　　　　　なったら）、どう しますか。
- マンガは あきて（よまない →　　　　　なったら）、フリーマーケットで うります。

V-な~~い~~く

つかわない → つかわなく	よまない → よまなく
きられない → きられなく	はけない → はけなく

3   Can-do 43 →p155 ものを むだに しないように 何を しますか。

ふくが 着られなく なったら、どう しますか。

私は フリーマーケットで うります。

フリーマーケットですか。

ええ。ちかくの こうえんで ときどき やってるんです。しらない 人と 話せて 楽しいですよ。

そうですか。

それは いいですね。

③ 古(ふる)い きものを スカートに しました

  163-166 ワンさんは よしださんの 家(いえ)で 話(はな)しています。

		1		2		3		4	
(1)	(2)	a	h						

(1) 何(なん)について 話(はな)していますか。

a 
b 
c 
d 

(2) 前(まえ)は 何(なん)でしたか。

e 
f 
g 
h 

 ルールを はっけんしましょう。

古(ふる)い きものを スカートに しました。

- こわれた かさを バッグに したんです。
- 子(こ)どもの ふとん（　　）クッション（　　）しました。
- ネクタイを バッグに（　　　んです）。

 Can-do 44 →p155

すてきな スカートですね。

ありがとう。古(ふる)い きものを スカートに したんです。

へえ。前(まえ)は きものだったんですか。

ええ。もったいないので スカートに したんです。

エコかつどう

Eco-friendly activities

● あなたの 国(くに)の 学校(がっこう)、オフィス、町(まち)では どんな エコかつどうを していますか。

What eco-friendly activities do people do in schools, offices or towns in your country?

1. かんきょうきょういく <environmental education>　2. クールビズ <"Cool Biz" dress style at the office>　3. ハンカチと エアータオル <handkerchief and hand dryer>　4. しげんごみを あつめる <collecting recyclable waste>

じんせい

だい17か　この人(ひと)、しっていますか

45. ゆうめいな 人について しっている ことを 話します
    Say what you know about a famous person
46. ゆうめいな 人を 好きに なった きっかけについて 話します
    Say how you came to like a famous person
47. 自分の 国の ゆうめいな 人について メモを 見ながら 話します
    Make a simple presentation about a famous person from your country, using notes

---

だい18か　どんな子(こ)どもでしたか

48. 子ども／学生の ときの おもいでを 話します
    Talk about a memory of your childhood/student days
49. 新しい ことを はじめた きっかけや その後の へんかについて 話します
    Talk about what motivated you to start something new in your life and how things have changed since then

9

だい17か　この人、しっていますか

1 ゆうめいな人たち

  167 この人、しっていますか。

1

山下泰裕（1957-）

スポーツせんしゅ／じゅうどうか
オリンピックで金メダルを
とりました

2

黒澤明（1910-1998）

えいがかんとく
えいがを作りました
しょうを もらいました

3

村上春樹（1949-）

さっか／しょうせつか
しょうせつが ほんやくされています

● あなたの国の人で、せかいでも ゆうめいな人は だれですか。
どうして ゆうめいですか。

4

5

湯川秀樹（ゆかわひでき）（1907-1981）

かがくしゃ
ノーベルしょう（ぶつりがく）を
もらいました

津田梅子（つだうめこ）（1864-1929）

きょういくしゃ
アメリカに 留学（りゅうがく）しました
大学（だいがく）を つくりました

6

黒柳徹子（くろやなぎてつこ）（1933-）

じょゆう
ユニセフ（UNICEF） しんぜんたいし
テレビしかいしゃ

7

五嶋（ごとう）みどり（1971-）

おんがくか／バイオリニスト
バイオリンを ひきます
せかいで かつやくしています

8

げいじゅつか

岡本太郎（おかもとたろう）（1911-1996）

がか
絵（え）を かきました
太陽（たいよう）の塔（とう）（EXPO' 70 大阪（おおさか））を
作（つく）りました

さくひん

17

2 外国(がいこく)でも じゅうどうを おしえているそうです

1 168-171 p124-125 の 人(ひと)(1-4)について 4人(にん)の 話(はなし)を 聞(き)きましょう。

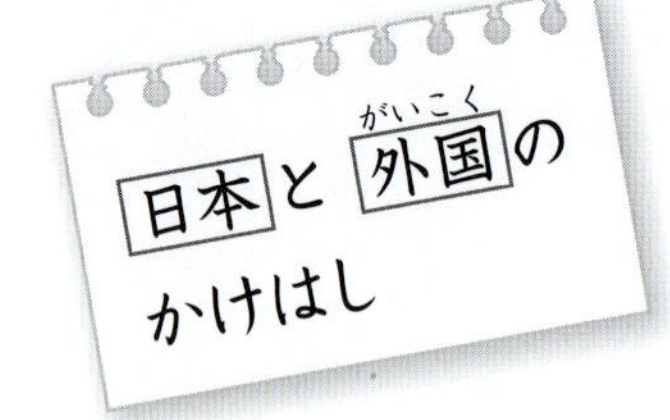

(1) 4人(にん)は その 人(ひと)を しっていますか。(はい ○、いいえ ×)

(2) その 人(ひと)について どんな ことを 話(はな)していますか。

		(1)	(2)
1	キムさん	○	a
2	カーラさん		
3	ヤンさん		
4	シンさん		

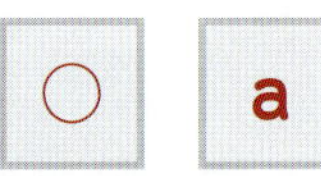
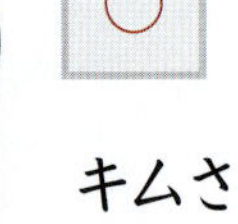

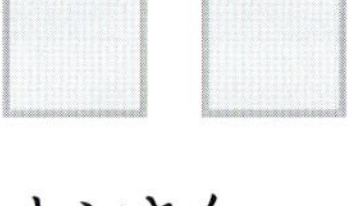

2 ルールを はっけんしましょう。

山下(やました)さんは 先生(せんせい)として 外国(がいこく)に 行(い)って じゅうどうを おしえているそうです。

- 黒澤明(くろさわあきら)は ドイツや イタリアの えいがの しょうを もらったそうです。
- 津田梅子(つだうめこ)は じょせいの ために 大学(だいがく)を(つくりました → 　　　　　そうです)。
- 村上(むらかみ)さんの しょうせつは たくさんの 国(くに)で(よまれています → 　　　　　そうです)。

> **ふつうけい (plain form)**
>
> つくりました → つくった　　もらいました → もらった
>
> おしえています → おしえている　　よまれています → よまれている

→p156 あなたの 国(くに)や せかいで ゆうめいな 人(ひと)の 写真(しゃしん)を 見(み)て 話(はな)しましょう。

この 人(ひと)、しってますか。

たしか…ですね。

いいえ、しりません。
だれですか。

山下泰裕(やましたやすひろ)さんです。
日本の じゅうどうの せんしゅです。
今(いま)は じゅうどうを おしえているそうです。

はい、しってます。
日本の じゅうどうの せんしゅですね。

オリンピックで 金(きん)メダルを とった 人(ひと)ですね。

3 はじめて しょうせつを 読(よ)んでから ずっと ファンです

ゆうめいな 人(ひと)について 4人の 話(はなし)を 聞(き)きましょう。

	1 さいとうさん	2 すずきさん	3 のださん	4 さとうさん
(1)	d			
(2)	e			

(1) 4人(にん)は いつから その 人(ひと)の ファンですか。

a 5年(ねん)ぐらい 前(まえ)　b 10年前(ねんまえ)　c 学生(がくせい)の とき　d 子(こ)どもの とき

(2) きっかけは 何(なん)ですか。

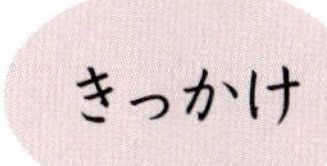

e 
f 
g 
h 

2

(1) 子どもの とき、しあいを 見てから、ずっと この 人の ファンです。

- 5年ぐらい 前に はじめて この 人の しょうせつを 読んでから、いろいろ 読んで(い)ます。
- 10年ぐらい 前、CDを はじめて (ききます → 　　　　　　)、よく 聞いて(い)ます。
- 学生の とき、大阪で さくひんを (みます → 　　　　　　)、今まで ずっと ファンです。

V-てから

みます → みてから
ききます → きいてから
よみます → よんでから

(2) 山下せんしゅは 金メダルを とるまで、がんばりました。

- この 本は おもしろいので、ぜんぶ 読むまで、ほかの ことが できません。
- 黒澤の えいがは ことばを (おぼえます → 　　　　　　)、なんども 見ました。
- CDプレーヤーが (こわれます → 　　　　　　)、みどりさんの CDを 聞きました。
- 岡本は (なくなります → 　　　　　　) いろいろな さくひんを 作りました。

V-るまで

おぼえます → おぼえるまで	こわれます → こわれるまで
とります → とるまで	なくなります → なくなるまで
よみます → よむまで	

→p156

あなたは だれの ファンですか。どうしてですか。友だちと 話しましょう。

だれの ファンですか。

えいがかんとくの 黒澤明です。
大学の とき、はじめて えいがを 見てから、ずっと ファンです。

そうですか。

ことばを おぼえるまで、
なんども えいがを 見ましたよ。

すごいですね。

4 私の 国の ゆうめいな 人

176

1 私は 津田梅子と いう 人について 話します。

2 津田梅子は きょういくしゃとして ゆうめいです。

3 梅子は 1864年に、東京で うまれました。

4 6さいの とき、アメリカに 留学しました。
きこくして、じょせいの ための 大学を 作りました。

5 日本の じょせいの ために はたらいた 人だと 思います。

→p156

あなたの 国の ゆうめいな 人について メモを 書いて、クラスで 話しましょう。

1 なまえは 何ですか。　(　　　　　　　　　　) と いう 人

2 どうして ゆうめいですか。　(　　　　　　　　　　) として ゆうめいです。

3 いつ、どこで うまれましたか。　(　　　　年) に、(　　　　　　) で うまれました。

4 どんな ことを しましたか。　(　　　　) さいの とき、(　　　　　　　　　　)
(　　　　　　　　　　　　　　　　　　)

5 あなたの コメント

17

だい18か どんな 子(こ)どもでしたか

1 さとうさんの じんせい

  177 いつ、どんなことが ありましたか。

年(ねん)		
1950	仙台市(せんだいし)で うまれる	子(こ)ども
1956	6さい 小学校(しょうがっこう) にゅうがく	子(こ)ども
1962	12さい 中学校(ちゅうがっこう) にゅうがく 1964 東京オリンピック	子(こ)ども
1965	15さい 高校(こうこう) にゅうがく	学生(がくせい)
1968	18さい 大学(だいがく) にゅうがく 1970 EXPO 大阪(おおさか)	学生(がくせい)

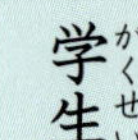

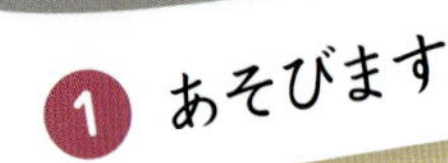

1 あそびます

2 けんかします

3 ほめます

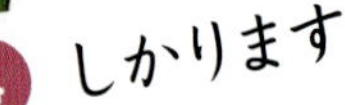

4 しかります

5 おしゃれします

6 さそいます

7 スポーツを します

8 しゅうしょくします

9 デートします

10 けっこんします

11 うまれます

12 てんきんします

13 なくなります

14 びょうきに なります

15 たいしょくします

1972	22さい しゅうしょく オイルショック	
1977	27さい けっこん	しゃかいじん
1979	29さい 1人目(ひとりめ)の 子(こ)が うまれる	
1982	32さい 2人目(ふたりめ)の 子(こ)が うまれる	
1992	42さい ブラジルに てんきん	
1996	46さい 日本に きこく	
1998	48さい 父(ちち)が なくなる	
2001	51さい びょうきに なる	
2010	60さい たいしょく	

② よく りょうしんに しかられました

  178-181 4人の 話を 聞きましょう。

	1 ケイトさん	2 フリオさん	3 あべさん	4 のださん
(1)	☑ 子どもの とき □ 学生の とき	□ 子どもの とき □ 学生の とき	□ 子どもの とき □ 学生の とき	□ 子どもの とき □ 学生の とき
(2)	c			

(1) いつの ことですか。　(2) どんな おもいでが ありますか。

しんぱい　かなしい　あまえています　はずかしい

ルールを はっけんしましょう。

私は かえるのが おそく なって、りょうしんに しかられました。

- 私は テストの 前も 友だちに さそわれて、あそびに 行っていました。
- 子どもの とき、かいた 絵が 1ばんに なって、私は 先生（　　）（ほめました →　　　　　　　）。
- 私は 女の子（　　）かっこいいと（いいました →　　　　　　　）、うれしかったです。

<うけみ passive >
V-（ら）れます

ほめます → ほめられます
しかります → しかられます

いいます → いわれます → いわれて
さそいます → さそわれます → さそわれて

→p157

あなたは どんな 子ども／学生 でしたか。友だちと 話しましょう。

ケイトさんは、どんな 子どもでしたか。

よく 外で いぬと あそんでました。
そして、家に かえるのが おそく なって、
りょうしんに しかられました。

そうですか。

元気な 子どもだったんですね。

3 どうして 日本語の 勉強を はじめたんですか

じんせいの いろいろな きっかけについて 4人の 話を 聞きましょう。

	1	2	3	4
	さかいさん	たなかさん	かわいさん	ナターリヤさん
	けっこん	しゅうしょく	タイ語	日本語
(1)	a			
(2)	h			

(1) きっかけは 何でしたか。

a

c

すすめます

d

(2) 何が かわりましたか。

e

g

h

2 ルールを はっけんしましょう。

(1) パーティーで 会って、デートするように なりました。

- 家に はやく かえるように なりました。
- 朝 はやく (おきます → 　　　　ように なりました)。
- よく しんぶんを (よみます → 　　　　ように なりました)。

V- る

しません → する
おきます → おきる
かえります → かえる
よみます → よむ

(2) 日本語が 少し 話せるように なりました。

- カタカナで なまえが 書けるように なりました。
- かんこく語の もじ (　　) (よめます → 　　　　ように なりました)。
- フランス語 (　　) 少し (できます → 　　　　ように なりました)。

<かのう potential>
V-(られ) る

できます → できる	かけます → かける
はなせます → はなせる	よめます → よめる

→p157

あなたは どうして 新しい ことを はじめましたか。

はじめてから、何か かわりましたか。友だちと 話しましょう。

どうして 日本語の 勉強を はじめたんですか。

じゅうどうを ならってるので、日本語を 勉強したいと 思いました。

自分の 時間が できたので、何か 好きな ことを はじめたいと 思ったんです。

そうですか。勉強は どうですか。

たのしいです。
日本語が 少し 話せるように なりました。

すごいですね。

よかったですね。

日本の 50年前と 今

Japan Today and 50 Years Ago

1

● あなたの まわりの 50年前と 今を くらべてみましょう。どう かわりましたか。

Compare life in your town now with that of 50 years ago. What has changed?

1. 町(まち) <city, town>　　2. ファッション <fashion>
3. 家(いえ)・だいどころ <house, kitchen>　　4. かぞく <family>

テストとふりかえり２（トピック 6-9） Test and Reflection 2 (Topics 6-9)

この 時間では つぎの ４つの ことを します。 3 と 4 は 何語で 話しても いいです。
In Test and Reflection 2 you will do these four things. You can speak in any language for 3 and 4

れい：120 分のばあい　Example: with a class length of 120 minutes

15 分	80 分	25 分
1 Can-do チェック 'Can-do Check'	2 1人ずつ テストを うけます Take the test one person at a time 3 テストの あいだに グループで 話します Speak in groups while waiting to take your test	4 クラスで 話します Speak as a class

1 Can-do チェック 'Can-do Check'

Can-do チェック（p180-p183）を 見なおしましょう。
もういちど やってみたい Can-do を えらんで ペアで れんしゅうしましょう。
あなたに とって たいせつな Can-do を えらびましょう。

Look again at the 'Can-do Check' on page 180-183. Choose the Can-do statements you want to try again and practise in pairs. Choose the Can-do statements that are important to you.

2 テスト Test

1人ずつ 先生の ところに 行って テストを うけます。テストは 1人５分です。

Take the test one person at a time. The test takes 5 minutes per person.

（１）もじテスト Japanese character test

たとえば つぎの ような ぶんを 読みます。ぜんぶ 読めるように がんばりましょう。

For example, you will read sentences like the following. Try your best to read them all.

れい Example

できるだけ スーパーの ふくろを もらわないように しています。

Aモデルの ほうが デザインが いいです。

ここは 金閣寺（きんかくじ）です。金閣（きんかく）は 14 せいきの おわりに、しょうぐんによって たてられました。

（２）かいわテスト　Conversation test

・先生の しつもんを 聞いて、かいわを して ください。

Listen to the question from your teacher, and have a conversation.

れい　Example

「どんな エコかつどうを していますか」

“What kind of eco-friendly activities have you done recently?”

「どんな 子どもでしたか。」

“What were you like when you were a child?”

・カードを 読んで、先生と かいわを して ください。

Read the card and have a conversation with your teacher.

れい　Example

> 日本の 友だちを はくぶつかんに つれてきました。てんじひんの せつめいを 読んで、友だちに 話しましょう。
>
> You have taken a Japanese friend to a museum. Read the description of an exhibit (in your language) and tell him/her what it says.

かいわテストでは 勉強した ことばを できるだけ たくさん 使いましょう。

しつもんが わからない ときは もういちど 聞きましょう。

In the conversation test, try to use the Japanese you have learned as much as possible. You can ask the teacher to repeat the question if you don't understand.

〈 かいわテストの ひょうか 〉 Evaluating your performance

もっと すごい Magnificent !	みじかな ことについて はっきりした 話しかたで しつもんされたら、すぐに ぜんぶ こたえることが できます。 ２つ いじょうの ぶんを つづけて たくさん 話すことが できます。 You were able to immediately answer all questions about a familiar topic, provided the other person spoke clearly. You were able to speak using two or more sentences in a row.
ごうかく Well done !	みじかな ことについて はっきりした 話しかたで しつもんされたら、ほとんど こたえることが できます。 You were able to answer most questions about a familiar topic, provided the other person spoke clearly.
もう すこし Getting there !	みじかな ことについて はっきりした 話しかたで とても ゆっくり しつもんされたら、すこし こたえることが できます。 You were able to partially answer questions about a familiar topic, provided the other person spoke clearly and slowly.

3　グループで 話しましょう。　Speak in groups.

テストの あいだに 4 人ぐらいの 小さい グループに なって ①と②を 見せて 話しましょう。

While waiting to take your test, make small groups of about four people, show ① and ② below and talk about them.

①日本語・日本文化の たいけんきろく

Records of your experiences of Japanese language and culture

②自分で 書いたもの

・だい 13 か ❺ かんこうちの コメントノート

Things you wrote in lesson 13: Visitor comment book.

4　グループで 話しあった ことを クラスの 人にも 話しましょう。

Share the things you talked about in groups with other people.

ぶんぽうのまとめ Grammar Review

1 ていねいけい と ふつうけい (Polite Form and Plain Form)

	ていねいけい (polite form)				ふつうけい (plain form)	
	ひかこ (non-past)		かこ (past)		ひかこ (non-past)	
	こうてい (affirmative)	ひてい (negative)	こうてい (affirmative)	ひてい (negative)	こうてい (affirmative)	ひてい (negative)
どうし (Verb)	うたいます	うたいません	うたいました	うたいませんでした	うたう	うたわない
	たべます	たべません	たべました	たべませんでした	たべる	たべない
	します	しません	しました	しませんでした	する	しない
イけいようし (イ Adjective)	あついです	あつくないです	あつかったです	あつくなかったです	あつい	あつくない
	いいです	よくないです	よかったです	よくなかったです	いい	よくない
ナけいようし (ナ Adjective)	すきです	すきじゃないです	すきでした	すきじゃなかったです	すきだ	すきじゃない
	きれいです	きれいじゃないです	きれいでした	きれいじゃなかったです	きれいだ	きれいじゃない
めいし (Noun)	こどもです	こどもじゃないです	こどもでした	こどもじゃなかったです	こどもだ	こどもじゃない

もうひとつの ひていけい (この 本では つかいません。)
Another negative form (not used in this book)

●イ A- く/ナ A- じゃ/ N- じゃ ありません=イ A- く/ナ A- じゃ/ N- じゃ ないです
あつくありません
すきじゃありません
こどもじゃありません

●イ A- く/ナ A- じゃ/ N- じゃ ありませんでした=イ A- く/ナ A- じゃ/ N- じゃ なかったです
あつくありませんでした
すきじゃありませんでした
こどもじゃありませんでした

初級 2

S (plain form) N (L1)
S (plain form) のは N です (L3)
S (plain form) ので、_____(L3)
S (plain form) し、_____ (か L5, L6)
S〔いつ/どこ/ … (plain form)〕か、しっていますか/わかりますか (L8)
S (V plain form) ように _____(L10)
S (V plain form) ように ねがいます/いのります (L10)
S (plain form) そうです (L14, L17)
S (plain form) かもしれません (り L17)

初級 1

S (plain form) ひと (L16)
S (plain form) もの (L17)
S (plain form) んです (L17)
S (plain form) N (L17)
S (plain form) と おもいます (L18)
S (plain form) と いっていました (L18)

	かこ (past)					
	こうてい (affirmative)	ひてい (negative)				
	うたった	うたわなかった				
	たべた	たべなかった				
	した	しなかった				
			□+ N	~て/で	~なくて/じゃなくて	□+ V
	あつかった	あつくなかった	あつい	あつくて	あつくなくて	あつく
	よかった	よくなかった	いい	よくて	よくなくて	よく
	すきだった	すきじゃなかった	すきな	すきで	すきじゃなくて	すきに
	きれいだった	きれいじゃなかった	きれいな	きれいで	きれいじゃなくて	きれいに
	こどもだった	こどもじゃなかった	こどもの	こどもで	こどもじゃなくて	—

イA-く (り L2)
ナA-に (り L2)

L● : かつどう (初級2) と りかい (初級2) の●か
Lesson in *Katsudoo* (Elementary2) and *Rikai* (Elementary2)
かL●: かつどう (初級2) だけ
Only in *Katsudoo* (Elementary2)
りL●: りかい (初級2) だけ
Only in *Rikai* (Elementary2)

2 どうしの かつよう (Conjugation of Verbs)

	Vます	V-ない ないけい (NAI-form)	V-(ら)れる うけみけい (Passive form)	Vます-ます ますけい (MASU-form)	V-る るけい/じしょけい (RU-form/dictionary form)
グループ1	うたいます	うたわない	うたわれる	うたい	うたう
	まちます	またない	またれる	まち	まつ
	とります	とらない	とられる	とり	とる
	あそびます	あそばない	あそばれる	あそび	あそぶ
	よみます	よまない	よまれる	よみ	よむ
	しにます	しなない	しなれる	しに	しぬ
	かきます	かかない	かかれる	かき	かく
	およぎます	およがない	およがれる	およぎ	およぐ
	はなします	はなさない	はなされる	はなし	はなす
	いきます	いかない	いかれる	いき	いく
	あります	ない	—	あり	ある
グループ2	みます	みない	みられる	み	みる
	たべます	たべない	たべられる	たべ	たべる
グループ3	します	しない	される	し	する
	きます	こない	こられる	き	くる
初級2		V1-ないで V2 (L4、11) V-ない ほうが いいです(よ) (L5) V-なく なりました (L11, 16, りL18) V-ないように しています (L15)	NはV-(ら) れます (L13) AはBにV-(ら) れます (L18) AはBにNをV-(ら) れます (りL18)	V-やすいです (L12) V-にくいです (L12)	V-ると、____(L4) V-る とき、____(L5) V1-るまで、V2 (りL11, 17) V-る ために (L14) V-るように しています (L15) V-るのに いいです/つかいます/… (L15) V-るように なりました (L18)
初級1		V-ないでください (L15)		V-に いきます (L8) V-ませんか (L8) V-ましょう (L8) V-たいんですが… (かL8) V-かた (L9) V-たいです (L10) V-たくないです (りL10) V-ましょうか (L11) V-すぎます (りL13)	V-ること (L2) V-るのが Aです (L9) V-るまえに (L15) V-ると いいです (L15)

L● : かつどう (初級2) と りかい (初級2) の●か
Lesson in *Katsudoo* (Elementary2) and *Rikai* (Elementary2)
かL● : かつどう (初級2) だけ
Only in *Katsudoo* (Elementary2)
りL● : りかい (初級2) だけ
Only in *Rikai* (Elementary2)

V-(られ)る かのうけい (Potential form)	V-て てけい (TE-form)	V-た たけい (TA-form)	
うたえる	うたって	うたった	あいます、あらいます、つかいます
まてる	まって	まった	たちます、もちます
とれる	とって	とった	うります、かえります、つくります
あそべる	あそんで	あそんだ	よびます
よめる	よんで	よんだ	のみます、すみます
しねる	しんで	しんだ	—
かける	かいて	かいた	ききます、はたらきます、おきます
およげる	およいで	およいだ	いそぎます
はなせる	はなして	はなした	かします
いける	いって	いった	—
—	あって	あった	—
みられる	みて	みた	います、おきます、かります
たべられる	たべて	たべた	おしえます、ねます、いれます
できる	して	した	ほんやくします
こられる	きて	きた	もってきます

NがV-(られ)ます(L6, りL7) NがV-(られ)る人(L7) V-(られ)て、よかったです(かL9) V-(られ)て、_____(りL9) V-(られ)なくて、_____(りL9) V-(られ)なく なりました(L16, りL18) V-(られ)るように なりました(L18)	V-ているN(L2) V1-てから、V2(L4, 17) V-ちゃ/じゃ だめです(かL4) V-ては/ちゃ/じゃ いけません/だめです(りL4) V1-て V2(L4) V-ていました(L9) V-て しまいました(L11) 〔いつ、何、どこ、だれ〕V-ても、(L13) V-てあります(りL14) V-ても いいですか(かL14)	V-た とき、_____(L5) V-た ほうが いいです(よ)(L5) V-たら、_____(L7, L16) V-たり して、_____(L10) V-たままです(L15)
	V-ています(L1) V-て ください(L6) V1-て、V2(L6) V-て(reason)(L7) V-て くださいませんか(L9) V-てみます(りL10) V-てきます/いきます(L11) V-て(　)年/か月に なります(りL14) V-ても いいですか(L14)	V-たことが あります(L13) V1-たり、V2-たり しています(L16)

3 じょし (Particles)

ス：スクリプト

	れいぶん (example sentences)	か (lesson)
か	ゆうこは どういう いみですか。	1
が	私が いつも 食べるのは 野菜の てんぷらです。	3
	日本の アニメと マンガが 好きです。	1
	シンさんの おねえさんは かみが ながいです。	2
	イルカの ショーが 見られます。	6
	ヨサコイは はじめてですが、やってみます。	7
	きれいな 魚を 見てみたいんですが。	6
から	Ｊポップコンサートは 何時からですか。	8
	友だちから 聞いたことが あります。	13
	なべから そのまま 食べると、あついですよ。	4
	３人きょうだいの 1ばんめですから、いちろうと いう なまえです。	1
ぐらい	５年ぐらい前から 村上春樹の ファンです。	17
けど	あねは やさしそうですけど、ほんとうは きびしいんですよ。	2
しか	今年は 休みが ３日間しか ありませんでした。	9
ずつ	よせなべと てんぷらを 1つずつ おねがいします。	3
で	私は JF フーズと いう 会社で はたらいています。	1
	車で 来たので、お酒は 飲めないんです。	3
	沖縄（おきなわ）ガラスで コップを 作ります。	6
	雨で 写真が とれませんでした。	6ス
	みんなで かんぱいしてから、飲みましょう。	4
でも	この あたりは かいがいでも よく 知られています。	13
と	行ったことが ある 国は アメリカと メキシコです。	1
	イルカと いっしょに 泳げます。	6
	ベトナムの ブンチャーは、日本の そうめんと にています。	4
	ブンチャーは 野菜を 入れると、もっと おいしいです。	4
	ぼうしを 持ってった ほうが いいと 思います。	5
とか	きれいな 魚とか イルカを 見てみたいです。	6
に	しぜんが ゆたかな 沖縄に 来て ください。	5
	私は さいたまと いう 町に すんでいます。	1
	朝９時に あつまってください。	7
	自分の さらに 料理を とって 食べます。	4
	イベントの じゅんびが おわったら、さいとうさんに れんらくします。	7
	古い きものを スカートに しました。	16
	これ、たんじょうびに かれに もらったんです。	初級1
	家に かえるのが おそく なって、りょうしんに しかられました。	18
	けしきも うつくしいし、車も 少ないし、ドライブに おすすめですよ。	5
	つきに ２回ぐらい 日本料理を 食べます。	初級1
ね	いい なまえですね。	1
	朝９時に、さくらひろばですね。わかりました。	7
の	東京は 東の 町という いみです。	1
	この 店で 人気が あるのは さしみです。	3
	店で 見ないで 買うのは しんぱいです。	11
ので	ベジタリアンなので、肉は 食べないんです。	3
は	あきこは あかるい 子と いう いみです。	1
	ベジタリアンなので、肉は 食べないんです。	3
へ	こちらへ どうぞ。	3
まで	ホテルから しままで ふねで 行きました。	5ス
	山下せんしゅは 金メダルを とるまで、がんばりました。	17

	れいぶん (example sentences)	か (lesson)
も	私も アニメと マンガが 好きです。	1
や	よせなべには とり肉や 野菜が いろいろ 入っています。	3
よ	よせなべは あたたかくて おいしいですよ。	3
より	A モデルより B モデルの ほうが 安いです。	12
を	いつか マンガの ほんやくを したいです。	1
	しまを ドライブしませんか。	5
(の) ために	この 絵は 何の ために かかれましたか。	14
(の) ための	ひなまつりは 女の子の ための まつりです。	10
として	この あたりは まいこさんの 町として よく しられています。	13
なら	野菜なら、てんぷらが いいですよ。	3
について	ガイドさんは いしの にわについて せつめいしました。	13 ス
によって	この おてらは しょうぐんによって たてられました。	13

4 ぎもんし (Interrogatives)

	ぎもんし (interrogatives)	れいぶん (example sentences)	か (lesson)
ひと (person)	だれ	この 女の人は だれですか。	2
	どなた	この 女の人は どなたですか。	2
もの (thing)	なん	この 店の おすすめは 何ですか。	3
	なに	よせなべには 何が 入ってますか。	3
	どんな＋名詞 (noun)	どんな エコかつどうを してますか。	15
ばしょ (place)	どこ	カラオケコンテスト、どこで やっているか、しってますか。	8
	どちら	ヤンさんは、どちらからですか。	入門
とき (time)	なんじ	J ポップコンサート、何時に はじまるか、しってますか。	8
	いつ	この 絵は いつごろ かかれた ものですか。	14
ほうほう (means)	どうやって	この 料理、どうやって 食べますか。	4
かず・りょう (numbers・quantity)	いくつ	(おねえさんは) おいくつ ですか。	入門
		へやに いすが いくつ ありますか。	入門
	いくら	これ、いくらですか。	入門
	なん〜	なんめいさまですか。	3
	どのぐらい	お正月の 休みは どのぐらい ありましたか。	9
りゆう (reason)	どうして	どうして 日本語の 勉強を はじめたんですか。	18
せんたく (choice)	どの	やまださんの 友だちは どの 人ですか。	2
	どちら	新しい れいぞうこは、A と B、どちらが いいですか。	―
	どっち	新しい れいぞうこは、A と B、どっちが いいですか。	12
かんそう・いけん (comment)	どう	沖縄は どうでしたか。	5
		沖縄に 行ってみたいんですが、5月は どうですか。	9
		雨が ふったら、どう しますか。	7
		これ、どう 思いますか。	12
	いかが	このツアー、いかがですか。	6

5 しじし (Demonstratives)

	こ	そ	あ	ど
もの (thing)	これ	それ	あれ	どれ
ばしょ (place)	ここ	そこ	あそこ	どこ
+めいし (noun)	この N	その N	あの N	どの N

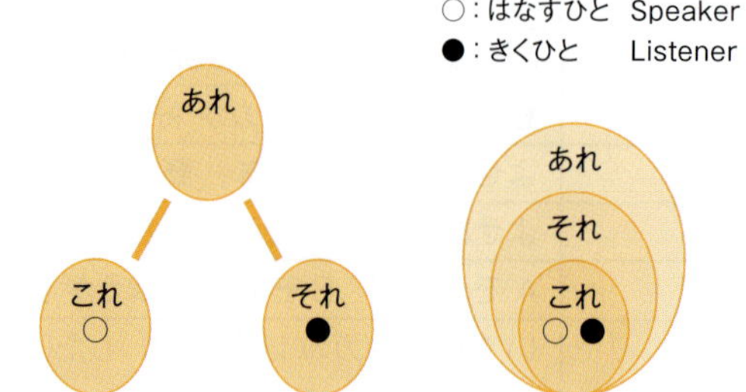

6 話(はな)しことば (Spoken language)

話すとき	書くとき	れいぶん (example sentences)	か (lesson)
V てます	V ています	私は JF フーズと いう 会社で はたらいてます。	1
V てる	V ている	私の 友だちは 白い シャツを 着てる 人です。	2
V ちゃ (V じゃ) だめです	V ては いけません	飲み物は まだ 飲んじゃ だめです。	4
V てった	V ていった	ぼうしを 持ってった ほうが いいと 思います。	5
見れます	見られます	イルカの ショーが 見れます。	6
食べれます	食べられます	沖縄の おかしが 食べれます。	6
N って	(N というのは)	ひなまつりって 何ですか。	10
V ちゃったんです	V てしまったんです	うちの そうじ機が こわれちゃったんです。	11
どっち	どちら	新しい れいぞうこは、A と B、どっちが いいですか。	12
V てく	V ていく	ぼうしを 持ってった ほうが いいですよ。	5

かのまとめ　Lesson Review

話す Can-do、やりとり Can-do

◆ トピック1　新しい 友だち

だい1か　いい なまえですね

◆ 自分の なまえの いみなど こじんてきな じょうほうを 言って じこしょうかいを します (Can-do 1)

やまだ あきこです。

あきこは あかるい 子と いう いみです。

私は JF フーズと いう 会社で はたらいてます。

私は さいたまと いう 町に すんでます。

◆ しゅみや けいけんなど 自分について 少し くわしく 話します (Can-do 2)

はじめまして。ジェームズ・タンです。

日本の アニメと マンガが 好きです。

よく 読む マンガは「ツーピース」です。

いつか マンガの ほんやくを したいです。

どうぞ よろしく おねがいします。

だい2か　めがねを かけている 人です

◆ だれかの ふくや がいけんてきな とくちょうを 言います (Can-do 3)

A：やまださんの 友だちは どの 人ですか。

B：かみが ながい 男の人です。／白い シャツを 着てる 人です。

A：あの人ですか。／あのかたですか。／めがねを かけてる 人ですか。

B：はい、そうです。

◆ よく しらない 人について いんしょうを 言います (Can-do 4)

1 A：この 女の人は だれですか。

B：私の あねです。

A：おねえさん、やさしそうな 人ですね。

B：はい、あねは やさしいです。よく、いっしょに 買い物に 行きます。

A：そうですか。

2 A：この 女の人は どなたですか。

B：私のあねです。

A：おねえさん、やさしそうですね。

B：やさしそうですけど、ほんとうは きびしいんですよ。

A：そうですか。

◆ トピック2　店で 食べる

だい3か　おすすめは 何ですか

◆ レストランに 入って にんずうと せきの きぼうを 言います（Can-do 5）

1 店の人：いらっしゃいませ。ごよやくですか。

きゃく：いいえ。

店の人：なんめいさまですか。

きゃく：3人です。

店の人：テーブルと ざしきが ございますが。

きゃく：テーブルで おねがいします。

店の人：こちらへ どうぞ。

2 店の人：いらっしゃいませ。ごよやくですか。

きゃく：はい。やまだです。

◆ あんないした レストランで おすすめの 料理について 話します（Can-do 7）

A：この 店の おすすめは 何ですか。

B：この 店で いちばん おいしいのは、よせなべです。

A：何が 入ってますか。

B：とり肉や 野菜が いろいろ 入ってます。

あたたかくて、おいしいですよ。

A：おいしそうですね。じゃあ、それに します。

◆ 食べられない ものと りゆうを かんたんに 言います（Can-do 8）

A：あのう、私、ベジタリアンなので、肉や 魚は 食べないんです。

野菜の 料理は ありますか。

B：野菜なら、てんぷらが いいですよ。おすすめです。

A：じゃあ、それに します。

◆ 料理と かずなどを 言って ちゅうもんします（Can-do 9）

店の人：ごちゅうもん、おきまりですか。

きゃく：よせなべと てんぷら、1つずつ おねがいします。

店の人：お飲み物は？

きゃく：ビール 2つと ジュース 1つ、おねがいします。

店の人：かしこまりました。

きゃく：食事の あとで コーヒー 3つ おねがいします。

だい4か　どうやって 食べますか

◆ **友だちに 食事を する ときの じゅんばんを 言います (Can-do 10)**

A：飲み物、もう 飲んでも いいですか。

B：いいえ、まだ 飲んじゃ だめですよ。

A：あ、まだですか。

B：みんなで かんぱいしてから、飲みましょう。

A：あ、そうですね。

◆ **料理の 食べかたを 言います (Can-do 11)**

A：はい、できました。どうぞ。

B：あのう、どうやって 食べますか。

A：たれを つけて 食べて ください。

B：いただきます。たれを つけて 食べるんですね。

A：はい。つけすぎると、からいですよ。

B：おいしいですね。

◆ **自分の 国の 料理の 食べかたを メモを 見ながら 話します (Can-do 12)**

ブンチャーの 食べかたを しょうかいします。

ベトナムの ブンチャーは、日本の そうめんと にています。

あまくて すっぱい たれを つけて 食べます。

野菜を いれると、もっと おいしいです。

◆ トピック3　沖縄旅行

だい5か　ぼうしを 持っていった ほうが いいですよ

◆ **かんこうちが どんな ところか 友だちに 聞きます／言います (Can-do 13)**

1　A：沖縄（おきなわ）に 行ったこと、ありますか。

B：はい、ありますよ。

A：どうでしたか。

B：海も きれいだし、食べ物も おいしいし、いい ところですよ。

2　A：沖縄（おきなわ）に 行ったこと、ありますか。

B：いいえ、ありません。

A：そうですか。

◆ **自分の けいけんを もとに 旅行する きせつなどについて アドバイスします（Can-do 14）**

A：沖縄（おきなわ）に 行ってみたいんですが、5月は どうですか。

B：5月は できれば 行かない ほうが いいですよ。つゆですから。

A：そうですか。じゃあ、7月は どうですか。

B：7月は いいと 思いますよ。

でも、ぼうしや サングラスを 持ってったほうが いいですよ。あついですから。

◆ **旅行の ときの こうつうきかんについて 自分の けいけんを 話します（Can-do 15）**

A：沖縄（おきなわ）に 行く とき、どうやって 行きましたか。

B：行く ときは、ひこうきで 行きました。かえる ときは、ふねに 乗りました。

A：ふねは、どうでしたか。

B：おもしろかったです。／ちょっと つかれました。

だい6か　イルカの ショーが 見られます

◆ **旅行さきの ホテルで きょうみが ある ツアーについて 話します（Can-do 16）**

A：あのう、きれいな 魚とか イルカを 見てみたいんですが。

B：それなら、この ツアー、いかがですか／どうですか。

イルカの ショーが 見られますよ。

A：へえ、おもしろそうですね。

B：ええ。イルカと いっしょに 泳げますよ。とても 人気が ある ツアーです。

◆ **さんかした ツアーについて かんそうを 言います（Can-do 17）**

A：今日の ツアー、どうでしたか。

B：よかったですよ。

イルカの ショーも 見たし、イルカと いっしょに 泳いだし、一日中 楽しめました。

A：そうですか。

◆ トピック4　日本まつり

だい7か　雨が ふったら、どう しますか

◆ **友だちに イベントの ボランティアを たのみます／こたえます（Can-do 19）**

1　A：エドワードさん、すみません。

B：はい、何ですか。

A：今、日本まつりで ヨサコイが おしえられる 人を さがしてるんですが…。
おねがいできませんか。

B：ヨサコイですか。いいですよ。

A：ありがとうございます。よろしく おねがいします。

2 A：今、日本まつりで ヨサコイが おしえられる 人を さがしてるんですが…。
おねがいできませんか。

B：じしん、ありません。すみません。／その 日は つごうが わるいです。

A：そうですか。ざんねんです。

◆ **スタッフの ミーティングで 聞いた しじについて しつもんします（Can-do 20）**

リーダー：あした、朝 9時に さくらひろばに あつまって ください。

スタッフ：朝 9時に、さくらひろばですね。 わかりました。雨が ふったら、どうしますか。

リーダー：雨が ふったら、みどりホールに あつまって ください。

スタッフ：はい、わかりました。

だい8か　コンサートは もう はじまりましたか

◆ **うけつけで イベントの 時間や 場所などについて 聞きます／言います（Can-do22）**

A：Jポップコンサート、何時に はじまるか、しってますか。

B：わかりません。うけつけで 聞いてみましょう。

B：あのう、すみません。Jポップコンサートは 何時からですか。

うけつけの 人：2時からです。

B：ありがとうございます。

◆ **うけつけで イベントが 今 どうなっているか 聞きます／言います（Can-do23）**

1 A：すみません。じゅうどうデモンストレーション、もう はじまりましたか。

B：はい、もう はじまりました。／いいえ、まだ はじまってません。

2 A：すみません。Jポップコンサート、まだ やってますか。

B：はい、まだ やってます。／いいえ、もう おわりました。

◆ **イベントの しかいしゃとして メモを 見ながら あいさつと おねがいを 言います（Can-do24）**

みなさん、ほんじつは おいそがしい中(なか) 日本まつりカラオケコンテストに おいでくださって、
ありがとうございます。
はじめに みなさんに おねがいが あります。

この かいじょうでは 飲食は ごえんりょください。

よろしく おねがいいたします。

◆ トピック5　とくべつな 日

だい9か　お正月は どう していましたか

◆ 正月に 何を するか、どう 思うか 話します (Can-do25)

A：正月／正月の じゅんびは どうですか。

B：いそがしいですよ。

買い物とか 料理とか じゅんびが たくさん ありますから。

A：正月の 料理ですか。

B：はい。正月は 料理を たくさん 作ります。

A：そうですか。

◆ 正月休みを どう すごしたか 友だちに 話します (Can-do26)

A：あけまして おめでとうございます。

B：あけまして おめでとうございます。

A：お正月の 休み は どう してましたか。

B：ずっと フランスに かえってました。

A：ああ、そうですか。どうでしたか。

B：おやに 会えて、よかったです。

A：そうですか。それは よかったですね。

だい10か　いい ことが ありますように

◆ きせつの イベントについて 何の ために どんな ことを するか 話します (Can-do29)

A：この にんぎょう、とくべつな ものですか。

B：ああ、それは ひなまつりの にんぎょうです。

A：ひなまつりって 何ですか。

B：ひなまつりは、女の子の ための まつりですよ。毎年 3月3日です。

A：そうですか。

B：女の子が しあわせに なるように ねがいます／いのります。

／ にんぎょうを かざったりします。

◆ 自分の 国や 町の イベントについて メモを 見ながら 話します (Can-do30)

これは、佐倉市の 秋まつりです。

毎年 10月に あります。

まつりの とき、町に きれいな にんぎょうを かざったり、みんなで おどったりします。

そして、ほうさくを いわいます。

◆ トピック6　ネットショッピング

だい11か　そうじきが こわれて しまったんです

◆ 今、何を、どうして 買うのか 話します（Can-do31）

A：シンさん、何を 見てるんですか。

B：ネットショッピングの サイトです。

A：何か 買うんですか。

B：はい。そうじきを さがしてます。

　　今、使ってるのが こわれて しまったんです。

A：それは こまりましたね。

◆ ネットショッピングについて どう 思うか 話します（Can-do32）

1　A：かわいさんは よく ネットショッピングを しますか。

　　B：はい、よく します。店に 行かないで 買い物できますから。

　　A：そうですか。

2　A：かわいさんは よく ネットショッピングを しますか。

　　B：いいえ、あまり しません。店で 見ないで 買うのは ちょっと しんぱいですから。

　　A：そうですか。

213・214

だい12か　こっちの ほうが 安いです

◆ 電気せいひんについて どう 思うか 話します（Can-do33）

1　A：これ、どう 思いますか。

　　B：いいと 思います。使いやすそうですよ。

2　A：これ、どう 思いますか。

　　B：ちょっと 小さすぎると 思います。

　　A：でも、うちは かぞくが 少ないので、だいじょうぶです。

　　B：ううん。小さすぎて、使いにくいと 思いますよ。

　　A：そうかもしれませんね。

◆ 2つの しょうひんを くらべて どう 思うか 話します（Can-do34）

A：新しい れいぞうこは、Aと B、どっちが いいですか。

B：ねだんは どっちが 安いですか。

A：ねだんは Bモデルの ほうが 安いです。

B：じゃあ、どっちが 省エネですか。

A：たぶん、Aモデルだと 思います。

B：そうですか。じゃあ、Aモデルに します。

◆ トピック7　れきしと 文化の 町

だい13か この おてらは 14せいきに たてられました

◆ おなじ ツアーの グループの 人に その かんこうちに はじめて 来たのか 聞きます／言います (Can-do35)

1　A：京都は はじめてですか。

B：いいえ、2回目です。去年の 春、来ました。

A：そうですか。どうでしたか。

B：さくらが とても きれいでした。

A：京都は いつ 来ても しぜんが きれいですよ。

B：はい、今日も 楽しみです。

2　A：京都は はじめてですか。

B：はい、はじめてです。今日は よろしく おねがいします。

◆ ゆうめいな 場所について かんたんに 話します (Can-do36)

A：この あたりは 日本てきで、きれいですね。

B：はい。この あたりは 祇園と いう ところです。

まいこさんの 町として、よく しられてます。

A：そうですか。

だい14か　この 絵は とても ゆうめいだそうです

◆ はくぶつかんで てんじぶつの せつめいの ないようを 友だちに かんたんに つたえます (Can-do39)

A：これ、おもしろいですね。

B：はい、これは ゆうめいな 絵です。

A：いつごろ かかれた ものですか。

B：17せいきに かかれたそうです。／それは わからないそうです。

A：そうですか。

◆ **はくぶつかんの ルールについて 話します（Can-do40）**

A：この にんぎょう 、きれいです ね。写真、とっても いいですか。

B：あ、写真 は だめです。あそこに さつえいきんし と 書いてありますから。

A：そうですか。

◆ トピック8　せいかつと エコ

だい15か　電気が ついたままですよ

◆ **かんきょうに よくない ことを 見つけて ちゅういします／こたえます（Can-do41）**

A：かいぎ は もう おわりましたか。

B：はい、おわりました。

A：かいぎしつの エアコンが ついたままです よ。

B：すみません。けす のを わすれました。すぐ けします。

◆ **自分の エコかつどうについて 話します（Can-do42）**

A：どんな エコかつどうを してますか。

B：買い物の とき、自分の バッグを 持っていくように してますよ。

A：そうですか。私も エコバッグ、持っていきます。

スーパーの ふくろを できるだけ もらわないように してます。

B：エコバッグ は ごみを へらす のに いいですからね。

A：そうですね。

だい16か　フリーマーケットで うります

◆ **ものを むだに しないために 何を しているか 話します（Can-do43）**

A：ふくが 着られなく なったら 、どう しますか。

B：私は フリーマーケットで うります。

A：フリーマーケット ですか。

B：ええ。ちかくの こうえんで ときどき やってるんです。／

しらない 人と 話せて 楽しいですよ。

A：それは いいですね。

◆ **いらない もので 作った ものについて 話します（Can-do44）**

A：すてきな スカート ですね。

B：ありがとう。古い きもの を スカート に したんです。

A：へえ。前は きもの だったんですか。

B：ええ。もったいないので スカートに したんです。

◆ トピック9　じんせい

だい17か　この 人、しっていますか

◆ ゆうめいな 人について しっている ことを 話します (Can-do45)

1　A：この 人、しってますか。

B：いいえ、しりません。だれですか。

A：山下泰裕（やましたやすひろ）さんです。

日本の じゅうどうの せんしゅです。

今は じゅうどうを おしえているそうです。

2　A：この 人、しってますか。

B：はい、しってます。

日本の じゅうどうの せんしゅですね。／

オリンピックで 金メダルを とった 人ですね。

◆ ゆうめいな 人を 好きに なった きっかけについて 話します (Can-do46)

A：だれの ファンですか。

B：えいがかんとくの 黒澤明（くろさわあきら）です。

大学の とき、はじめて えいがを 見てから、ずっと ファンです。

A：そうですか。

B：ことばを おぼえるまで、なんども えいがを 見ましたよ。

◆ 自分の 国の ゆうめいな 人について メモを 見ながら 話します (Can-do47)

私は 津田梅子（つだうめこ）と いう 人について 話します。

津田梅子（つだうめこ）は きょういくしゃとして ゆうめいです。

梅子（うめこ）は 1864年に、東京で うまれました。

6さいの とき、アメリカに 留学しました。

きこくして、じょせいの ための 大学を 作りました。

日本の じょせいの ために はたらいた 人だと 思います。

だい18か どんな 子どもでしたか

◆ 子ども／学生の ときの おもいでを 話します (Can-do48)

A：ケイトさんは、どんな 子どもでしたか。

B：よく 外で いぬと あそんでました。

そして、家に かえるのが おそく なって、りょうしんに しかられました。

A：元気な 子どもだったんですね。

◆ 新しい ことを はじめた きっかけや その後の へんかについて 話します (Can-do49)

A：どうして 日本語の 勉強を はじめたんですか。

B：じゅうどうを ならってるので、日本語を 勉強したいと 思いました。

／ 自分の 時間が できたので、何か 好きな ことを はじめたいと 思ったんです。

A：そうですか。勉強は どうですか。

B：たのしいです。日本語が 少し 話せるように なりました。

こたえとスクリプト　Answers and Audio Scripts

◆ トピック1　新しい 友だち

だい１か　いい なまえですね　p22

❶

002・003

(1) 日本語クラスの じこしょうかいの とき、なんについて 話しますか。

1　なまえを 言います。
　たなかしんいちと 言います。
2　しゅみ、すきな もの、すきな ことを 言います。
　すきな ものは れきしの ほんです。すきな ことは スキーです。
　日本の ぶんかに きょうみが あります。
3　しごとを 言います。
　みせを やっています。かいしゃで はたらいています。がっこうに 行っています。
4　すんでいる ところを 言います。
　東京に すんでいます。むら、まち、しま、くに
5　かぞくについて 話します。
　5人かぞくです。3人きょうだいです。どくしんです。
6　としや たんじょうびを 言います。
　たんじょうびは 6月6日(むいか) です。としは ひみつです。

(2) どんな ひとだと おもいますか。

1　やさしいです。やさしい ひとだと おもいます。
2　けんこうです。けんこうな ひとだと おもいます。
3　まじめです。まじめな ひとだと おもいます。
4　あかるいです。あかるい ひとだと おもいます。

❷

こたえ 1

	(1)	(2)
1	よしだ (ゆうこ)	a
2	あさの (けんた)	c
3	やまだ (あきこ)	b
4	かとう (はるな)	e
5	のだ (まこと)	d

004-008 1

1
よしだ：はじめまして。よしだゆうこです。ゆうこは やさしい こと いう いみです。
A　　：やさしい こですか。じゃあ、よしださんは やさしい ひとですね。
よしだ：うふふ。たぶん。

2
あさの：はじめまして。あさのけんたです。けんたは けんこうな ひとと いう いみです。
A　　：けんこうな ひとですか。いい なまえですね。
あさの：ありがとうございます。

3
やまだ：はじめまして。やまだです。あ、やまだあきこです。あきこは あかるい こって いう いみなんです。
A　　：そうですか。ほんとうですね。

4
かとう：はじめまして。かとうはるなです。わたしの たんじょうびは 4月3日 (しがつみっか)。はる、うまれましたから、はるなです。としは、ひみつです。
A　　：あ、わたしも はる、うまれたんですよ。
かとう：そうですか。おなじですね。どうぞ よろしく おねがいします。

5
のだ：はじめまして。のだ、のだまことです。まことは まじめな ひとと いう いみです。
A　：まじめな ひとですか。いい なまえですね。
のだ：はい。ありがとうございます。

こたえ 2
(まじめな ひとと いう いみ) (ひがしの まちと いう いみ)

❸

こたえ 1

	1	2	3	4
(1)	b	c	b	a
(2)	JF フーズ	さいたま	はなび	いちろう

009-012 1

1
A　　：やまださん、おしごとは?
やまだ：JF フーズと いう かいしゃで はたらいてます。
A　　：JF フーズですか。どんな かいしゃですか。
やまだ：食べもの、とくに おかしを つくってます。

2
A　　：リリーさん、リリーさんは どこに すんでるんですか。
リリー：えっと、さいたまです。さいたまと いう まちに すんでます。
A　　：そうですか。東京から とおいですか。
リリー：いえ、でんしゃで 30分 (さんじゅっぷん) ぐらいです。

3
A　　：あさのさん、おしごとは?
あさの：日本りょうりの レストランを やっています。
A　　：え、日本りょうりの レストラン?すごいですね。
あさの：ははは。
A　　：なんと いう レストランですか。
あさの：「はなび」と いう レストランです。
A　　：はなびですか。
あさの：ええ。ぜひ 食べに 来て ください。

4
A　　　：いしかわさん、ごきょうだいは？
いしかわ：わたしは 3人きょうだいです。わたしが いちばん うえです。
A　　　：3人きょうだいの いちばん うえですか。だから、いちろうさんなんですね。
いしかわ：そうです。したに いもうとが 2人（ふたり）います。
A　　　：そうですか。

こたえ 2
（さいたまと いう まち）（はなびと いう レストラン）

4

こたえ 1

1	2	3	4
a	d	c	b

013-016 1

1
A　　：やまださんの しゅみは なんですか。
やまだ：えいがです。とくに、インドの ミュージカルえいがが すきです。
A　　：へえ、インドの ミュージカルですか。さいきん なにか 見ましたか。
やまだ：ええと、さいきん 見た えいがは「ボリウッドスター」です。おもしろかったですよ。とくに、ダンスが すごいんです！
A　　：そうですか。

2
A　：パクさんは 休みの 日、なにを してますか。
パク：よく おおきい でんきてんに 行きます。でんきせいひんを いろいろ 見るのが たのしいんです。
A　：へえ、でんきせいひんですか。さいきん なにか 買いましたか。
パク：ええ。さいきん 買った ものは テレビです。やすくて いいのを 買いましたよ。
A　：そうですか。よかったですね。

3
A　　：ケイトさん、すきな ことは なんですか。
ケイト：どくしょです。
A　　：なにを 読むんですか。
ケイト：日本の しょうせつです。よく 読む さっかは 村上春樹（むらかみ はるき）です。
A　　：そうですか。村上春樹、がいこくでも にんきが あるんですね。

4
A　：くのさんの しゅみは、なんですか。
くの：わたしは じてんしゃで りょこうするのが すきです。
A　：え、じてんしゃで？がいこくにも 行きますか。
くの：はい。行ったことが ある くには、アメリカと メキシコです。
A　：へえ、アメリカと メキシコ、いいですね。つぎは どこに 行きますか。
くの：そうですねえ。つぎは ロシアに 行ってみたいです。

こたえ 2
（さいきん かった もの）（いったことが ある くに）

だい２か　めがねを かけている 人(ひと)です　p28

1

017・018

(1) あなたの ともだちについて 言いましょう。
1　めがねを かけています
2　せが たかいです
3　ぼうしを かぶっています
4　わらっています
5　ネクタイを しています
6　サリーを きています
7　かみが ながいです
8　スカートを はいています
9　バッグを もっています
10 ないています
11 たっています
12 すわっています

(2) どんな ひとですか。
かわいいです
まじめです
きびしいです
あたまが よくて、かっこいいです
げんきで、おもしろいです
やさしくて、きれいです

2

こたえ 1

	1	2	3	4
(1)	オ	ア	ウ	エ
(2)	c	a	d	e

019-022 1

1
A：あ、シンさんの おねえさんが 来てますよ。
B：え、シンさんの おねえさん？どの ひとですか。
A：あの、あかい サリーを きてる ひとです。
B：あ、インドの ふくを きてる、かみが ながい ひとですね。
A：ええ、そうです。

2
A：あ、ジョイさんの ごしゅじんが 来てますよ。
B：え、どの ひとですか。
A：あの、めがねを かけている ひとです。
B：え、あの、ドアの ちかくに たってる ひとですか。
A：そうそう、せが たかい ひとです。

3
A：あの こ、ホセさんの おこさんですね。
B：え、どこですか。
A：ほら、きいろい ドレスを きてる おんなのこですよ。
B：ああ、あそこで ないてる こですね。
A：ええ、ホセさん、どこに いるんですか。

4
A　　：やまださん、こんにちは。1人（ひとり）ですか。
やまだ：いえ、きょうは ともだちも いっしょに 来ました。
A　　：やまださんの ともだち、どの ひとですか。
やまだ：あの、ジーンズを はいてる ひとです。
A　　：え、シンさんと 話してる おとこのひとですか。
やまだ：そうです。かれ、こんど インドに しゅっちょうに 行くんです。
A　　：ああ、だから、シンさんと 話してるんですね。

こたえ 2
（ないている おんなのこ）（はいている おとこのひと）

❸

こたえ 1

	1	2	3	4
(1)	d	c	f	a
(2)	○	×	×	○

023-026 1

1
A　　：ジョイさん、ごしゅじん、まじめそうな ひとですね。
ジョイ：ええ、かれは まじめな ひとですよ。しごとも いえの ことも よく します。
買いものも いっしょに 行きますよ。
A　　：そうですか。まじめで、やさしい ひとなんですね。いいですねえ。

2
A　　：シンさんの おねえさん、やさしそうな ひとですね。
シン　：え、あねは やさしそうですけど、ほんとうは きびしいですよ。
A　　：え、きびしいんですか。そうですか。
シン　：ええ、そうなんです。

3
A　　：よしださん、きょうは おこさんと いっしょに 来たんですね。
よしだ：ええ、ひろしと いいます。
A　　：ひろしくん、あたまが よさそうですね。
よしだ：いいえ、べんきょうは ぜんぜん だめです。スポーツは だいすきで、げんきですけど。
A　　：あはは、げんきが いちばんですよ。

4
A　　：やまださん、おもしろそうな おともだちですね。
やまだ：ええ、かれ、いろいろな くにに 行ったことが ありますから、はなしが おもしろいですよ。
A　　：へえ、話してみたいです。あとで しょうかいして ください。
やまだ：いいですよ。

こたえ 2
（おもしろそうな ひと）（あたまが よさそうです。）

◆ トピック2　店（みせ）で食（た）べる

だい３か　おすすめは 何（なん）ですか　p34

❶

027 1

レストランの なか
1 カウンター
2 テーブル
3 ざしき
4 きんえんせき
5 きつえんせき
6 テーブルを よやくします
7 りょうりを ちゅうもんします

❷

こたえ 2

	1	2	3	4
(1)	a	c	e	d
(2)	f	i	g	h

028-031 2

1
A：この みせの おすすめは なんですか。
B：そうですね。この みせで いちばん おいしいのは よせなべですよ。
A：よせなべ？なにが はいってますか。
B：とりにくと やさいが はいっています。なべは あたたかくて、からだに いいですよ。
A：そうですね。じゃあ、それに します。

2
A：この みせの おすすめは なんですか。
B：そうですね。この みせで ゆうめいなのは すきやきですよ。
A：すきやき？なにが はいってますか。
B：ぎゅうにくと やさいと とうふです。この あたりは ぎゅうにくが ゆうめいなんです。えいようが あって、おいしいですよ。
A：へえ、そうですか。

3
A：この みせは なにが おすすめですか。
B：そうですね。わたしが いつも 食べるのは やさいの てんぷらです。

A：やさいの てんぷら?
B：はい。きせつの やさいを つかった てんぷらです。きせつを たのしみたい ひとに、おすすめですよ。
A：おいしそうですね。

4
A：この みせは なにが おすすめですか。
B：そうですね。にんきが あるのは やっぱり さしみです。
A：さしみ?なまの さかなですね。
B：はい。さかなが しんせんで、おいしいですよ。この あたりは うみが ちかいですからね。
A：はあ、そうですか。

こたえ 3 (ゆうめいなの)(にんきが あるの)

❸

こたえ 1

	1	2	3	4
(1)	a	b	d	c
(2)	e	g	h	f

032-035 1

1
A　：さあ、ルパさん、なにが いいですか。
ルパ：ええっと…。
A　：わたしが いつも 食べるのは よせなべです。とりにくと やさいが たくさん はいってますよ。
ルパ：あのう、わたし、ベジタリアンなので、にくは 食べないんです。
A　：あ、そうですか。
ルパ：やさいの りょうりは ありますか。
A　：やさいなら、てんぷらが いいですよ。おすすめです。
ルパ：てんぷら、だいすきです。それに します。

2
A　：エドさん、この みせで ゆうめいなのは かになべです。おおきな かにが たくさん はいってるんですよ。
エド：あのう、わたし、アレルギーが あるので、えびや かには 食べられないんです。
A　：アレルギー、あ、そうですか。じゃあ、すきやきは どうですか。ほかの みせと ぜんぜん ちがいますよ。
エド：それ、食べてみたいです。

3
A　：さとうさん、飲みものは なんに しますか。つめたい ビールでも いいですか。
さとう：あ、わたし、くるまで 来たので、おさけは 飲めないんです。ソフトドリンク、ありますか。
A　：ああ、ソフトドリンクなら、ここを 見て ください。ええ、ウーロンちゃ、オレンジジュース…。
さとう：じゃあ、ウーロンちゃに します。

4
A　：ホセさん、この みせは さしみが おいしいですよ。
ホセ：あのう、わたし、なまの さかなは にがてなので、さしみは ちょっと…。
A　：ああ、そうですか。
ホセ：あたたかい りょうりが いいんですが。
A　：ああ、あたたかい りょうりなら、かになべが いいと おもいますよ。いまの きせつ、かにが いちばん おいしいですから。
ホセ：かに、おいしそうですね!

こたえ 2 (きたので)(にがてなので)

だい４か　どうやって 食べますか　p40

❶

036

りょうりを つくって 食べます。
1 いれます、なべに やさいや にくを いれます
2 とります、ふたを とります、いい においです
3 とります、りょうりを さらに とります、とても あついです
4 つけます、りょうりに たれを つけます
5 かけます、とうふに しょうゆを かけます
6 あじ、この たれは からいです、とうがらしが はいっています、この たれは しょっぱいです、しょうゆの あじです

❷

こたえ 1　1←　2←　3→　4→

037-040 1

1
A　：ああ、のどが かわきました。飲みもの、もう 飲んでも いいですか。
B　：まだ 飲んじゃ だめですよ。みんなで かんぱいしてから、飲みましょう。
A　：あ、そうですね。
B　：では、みなさん、かんぱい!
みんな：かんぱーい。

2
A：ああ、おなかが すきました。この にく、おいしそうですね。もう 食べても いいですか。
B：いいえ、まだ 食べちゃ だめですよ。にくの いろが あかいですから。
A：あ、まだですか。
B：ええ。もう すこし いろが かわってから、食べて ください。
A：はい。いろが かわってからですね。

3
A：ああ、いい においですね。ちょっと ふたを とっても いいですか。
B：あ、まだ とっちゃ だめですよ。もうすこし まってから、とりましょう。
A：そうですか。おなかが すいた。
B：ふふふ、もう すこしの がまん、がまん。

4
A：この ごはん、なべに いれても いいですか。
B：あ、ごはんは まだ いれちゃ だめですよ。
にくと やさいを ぜんぶ 食べてから、さいごに いれるんです。
A：ぜんぶ 食べてから？
B：ええ。なべりょうりは さいごに、ごはんを いれて、食べるんですよ。
それで おいしい スープを たのしんで、おわりです。
A：ああ、そうですか。さいごの ごはんも おいしそうですね。

こたえ 2
（1）（とっちゃ だめです）（いれちゃ だめです）
（2）（まってから）（たべてから）

❸

こたえ 1　1（a）　2（c）　3（b）　4（d）

041-044 1

1
A：はい、なべが できました。どうぞ。
B：あのう、どうやって 食べますか。
A：その たれを つけて 食べて ください。
B：はい。
A：あ、つけすぎると、からいですよ。とうがらしが はいってますからね。
B：うん、おいしいです。

2
A：はい、なべが できましたよ。どうぞ 食べて ください。
B：ええっと、どうやって 食べますか。あつそうですね。
A：ええ、そのまま 食べると、あついですよ。じぶんの さらに とって 食べて くださいね。
B：はい。

3
A：はい、すきやき、できました。
B：あの、どうやって 食べますか。しょうゆを かけますか。
A：え？しょうゆは かけないで 食べます。
B：あ、そうですか。
A：すきやきは しょうゆの あじですから、もっと かけると、しょっぱいですよ。
B：ああ、わかりました。

4
A：すきやき、できました。たくさん 食べて くださいね。
B：はい、いただきます…あつい！
A：きを つけて。たまごを つけて 食べると、あつくないですよ。
B：たまごですか…。あ、ほんとですね。うん、おいしい。
はじめての あじです。

こたえ 2
（1）（つけて）（つけないで）（とって）
（2）（かけると）（つけると）

◆ トピック3　沖縄旅行（おきなわりょこう）

だい５か　ぼうしを 持って（も）いった ほうが いいですよ　p48

❶

045

沖縄（おきなわ）で なにが できますか。
1　かんこうシーズンです。
2　しぜんが ゆたかな 沖縄（おきなわ）に 来て ください。
3　ひとが しんせつです。
4　けしきが うつくしいです。
5　しまを ドライブしませんか。おすすめの コースは こちら。
6　ダイビングの どうぐは レンタルしましょう。
7　レンタルの りょうきんは やすいです。よやくは こちら。

❷

こたえ 1　1（a）　2（d）　3（c）　4（b）

046-049 1

1
シン　：さとうさん、沖縄（おきなわ）に 行ったこと、ありますか。
さとう：はい、ありますよ。
シン　：どうでしたか。
さとう：うみも きれいだし、食べものも おいしいし、いいところですよ。

2
シン：エドさん、沖縄に 行ったこと、ありますか。
エド：はい、ありますよ。くるまを かりて、ドライブを しました。
シン：どうでしたか。
エド：けしきも うつくしいし、くるまも すくないし、ドライブに おすすめですよ。

3
シン　：リリーさんは 沖縄、行ったこと、ありますか。
リリー：ええ、よく 行きます。ダイビングが しゅみなんです。
シン　：そうですか。
リリー：ダイビングの りょうきんも やすいし、きれいな さかなも おおいし、いい ところですよ。

4
シン　：よしださんは 沖縄に 行ったことが ありますか。
よしだ：ええ、2かい 行きました。
シン　：へえ、2かいですか。
よしだ：ええ。がくせいの とき、ともだちと 行きました。
それから、もう1かい かぞくと 行きました。ほんとうに すばらしいですよ。しぜんも ゆたかだし、ひとも しんせつだし。

こたえ 2

(やすいし) (おおいし) (ゆたかだし) (しんせつだし)

❸

こたえ 1

	1	2	3	4
(1)	7月	11月	10月	1月
(2)	a	b	d	c

050-053 1

1

シン　：沖縄（おきなわ）に 行ってみたいんですが、5月は どうですか。

さとう：5月ですか。5月は できれば 行かない ほうが いいですよ。つゆですから。

シン　：そうですか。じゃあ、7月は どうですか。

さとう：7月は いいと おもいますよ。でも、ぼうしや サングラスを もってった ほうが いいですよ。あついですから。

2

シン：沖縄に かんこうに 行きたいんですが、9月は どうですか。

エド：9月は 行かない ほうが いいと おもいますよ。たいふうシーズンですから。

シン：そうですか。じゃあ、11月は どうですか。

エド：かんこうには いいですよ。でも、あさと よるは さむいので、コートや ジャケットを きてった ほうが いいですよ。

3

シン　：沖縄で ダイビングを してみたいんですが、いつが いいですか。

リリー：いちねんじゅう、だいじょうぶですが、わたしは 10月が すきです。10月は みずも きれいだし、ひともすくないですから。

シン　：そうですか。10月。

リリー：あ、ダイビングの どうぐは 買わない ほうが いいですよ。たかいですから。かりた ほうが いいと おもいます。

4

シン　：沖縄に かんこうに 行きたいんですが、お正月（しょうがつ）は どうですか。

よしだ：1月ごろは いいと おもいます。でも、こみますから、ホテルは はやく よやくした ほうが いいですよ。

シン　：そうですか。ひこうきは どうですか。

よしだ：ひこうきも はやく よやくした ほうが いいと おもいます。1月は シーズンですからね。

こたえ 2

(よやくした ほうが いい) (かわない ほうが いいです) (かりた ほうが いい)

❹

こたえ 1

	1 東京 ー 沖縄	2 くうこう ー ホテル	3 ホテル ー しま	4 ホテル ー うみ
(1)	a	c	d	e
(2)	d	b	d	b

054-057 1

1

シン　：さとうさん、東京から 沖縄（おきなわ）に 行く とき、どうやって 行きましたか。

さとう：行く ときは、ひこうきで 行きました。かえる ときは、ふねに のりました。

シン　：へえ、ふねですか。だいじょうぶでしたか。

さとう：ながかったですが、のってる ときは、おもしろかったですよ。

2

シン：エドさんは 沖縄の くうこうから ホテルに 行く とき、どうやって 行きましたか。

エド：行く ときは、タクシーで、かえる ときは、ホテルから バスに のりました。

シン：ホテルから バスが あるんですか。

エド：ええ。ひろくて らくだし、りょうきんも やすいし、よかったですよ。

3

シン　：リリーさん、ダイビングを する とき、ホテルから しままで どうやって 行きましたか。

リリー：ふねです。行く ときも、かえる ときも、ふねに のりました。

シン　：だいじょうぶでしたか。

リリー：うーん、すこし ゆれました。ついた ときは、ほっとしました。

4

シン　：よしださんは ホテルから うみに 行く とき、どうやって 行きましたか。

よしだ：行く ときは、レンタルの じてんしゃで 行きました。で、かえる ときは、バスに のりました。つかれましたから。

シン　：へえ、じてんしゃですか。いいですね。

よしだ：のっている ときは、かぜが きもちよかったですよ。

こたえ 2 (のっている とき) (ついた とき)

だい６か　イルカの ショーが 見(み)られます　p54

❶

058

ツアーに さんかしましょう。

A　沖縄（おきなわ）文化ツアー

　おどりの ショーを 見ます。

B 沖縄ガラス
たのしい おもいでを つくりましょう。
じょせいに にんきの ツアーです。
C すいぞくかんと イルカの ショー
イルカと およぎましょう。
D もりと かわツアー
めずらしい どうぶつが まっています。

❷

こたえ 1

	1	2	3	4
(1)	ア	エ	イ	ウ
(2)	C	A	D	B

059-062 1

1
シン　　　：あのう、きれいな さかなとか イルカを 見てみたいんですが。
ホテルの人：それなら、この ツアー、いかがですか。イルカの ショーが 見られますよ。
シン　　　：へえ、おもしろそうですね。
ホテルの人：ええ。イルカと いっしょに およげますよ。とても にんきが ある ツアーです。

2
ジョイ　　：あのう、沖縄（おきなわ）の ぶんかを しりたいんですが。
ホテルの人：じゃあ、この ツアー、いかがですか。沖縄の おどりが 見られますよ。
ジョイ　　：おどり？ おもしろそうですね。
ホテルの人：ええ。沖縄の おんがくも 聞けますよ。それから、沖縄の りょうりや おかしも 食べられます。
ジョイ　　：ふうん。りょうりも 食べれるんですか。沖縄の ぶんかが たのしめますね。

3
ヤン　　　：おもしろい しゃしんを とりたいんですが、いい ツアー、ありますか。
ホテルの人：それなら、この ツアーが おすすめです。もりや かわの どうぶつの しゃしんが とれますよ。
ヤン　　　：へえ。ちいさい ふねで もりに 行くんですか。
ホテルの人：ええ。めずらしい いきものが たくさん 見れますよ。

4
カーラ　　：あの、わたし、じぶんで なにか つくって みたいんですが、いい ツアー、ありますか。
ホテルの人：じゃあ、この ツアーが おすすめです。沖縄ガラスで コップが つくれますよ。
カーラ　　：へえ。沖縄ガラスって きれいですね。
ホテルの人：ええ。じょせいに にんきが ある ツアーですよ。

こたえ 2 （きけます）（たべられます）（たのしめます）

❸

こたえ 1

	1	2	3	4
(1)	○	○	○	△
(2)	c	a	b	d

063-066 1

1
ホテルの人：きょうの ツアー、どうでしたか。
シン　　　：よかったですよ。イルカの ショーも 見たし、イルカと いっしょに およいだし、いちにちじゅう たのしめました。
ホテルの人：そうですか。

2
ホテルの人：きょうの ツアー、どうでしたか。
ジョイ　　：よかったですよ。沖縄（おきなわ）の おどりも 見たし、めずらしい おかしも 食べたし、たのしめました。
ホテルの人：そうですか。

3
ホテルの人：きょうの ツアー、どうでしたか。
カーラ　　：見て ください、これ。
ホテルの人：きれいな コップですね。
カーラ　　：ええ。コップも つくったし、沖縄ガラスの アクセサリーも 買ったし、すごく たのしかったです。

4
ホテルの人：きょうの ツアー、どうでしたか。
ヤン　　　：まあまあでした。
ホテルの人：おもしろい しゃしん、とれませんでしたか。
ヤン　　　：いやあ、ごぜんは よかったんですが、ごごから すごい あめで しゃしん、とれませんでした。
ホテルの人：それは ざんねんでしたね。

こたえ 2 （みたし）（たべたし）（つくったし）（かったし）

◆ トピック4　日本まつり

だい７か　雨（あめ）が ふったら、どう しますか　p62

❶

067

ボランティアスタッフの しごと
ボランティアスタッフに れんらくします。
8時に あつまります。
a 日本まつりで あんないの しごとを します。
b かいじょうの じゅんびを します。かいじょうの かたづけを します。
c さつえいの しごとを します。
d うけつけの しごとを します。
e しかいを します。

f　つうやくを します。

g　日本まつりの とき、ひろばで おどりの イベントが あります。みんなで ヨサコイを おどります。

h　マンガきょうしつが あります。マンガの かきかたを ならいます。

i　ホールで スピーチコンテストが あります。日本語の スピーチを 聞きます。

❷

こたえ 1

	1	2	3	4		5	
(1)	g	d	h	e	c	f	e
(2)	○	○	○	×	○	×	○

068-072 1

1

さいとう　：エドワードさん、すみません。
エドワード：はい、なんですか。
さいとう　：あの、ヨサコイ、おどれますか。
エドワード：はい。ヨサコイ、だいすきです。
さいとう　：いま、日本まつりで ヨサコイが おしえられる ひとを さがしてるんですが …。エドワードさん、おねがいできませんか。
エドワード：ああ、いいですよ。
さいとう　：ありがとうございます。

2

さいとう　：ナターリヤさん、すみません。
ナターリヤ：はい、なんですか。
さいとう　：いま、日本まつりで うけつけの しごとが できる ひとを さがしてるんですが …。おねがいできませんか。
ナターリヤ：え、うけつけですか。わたし、日本語、あまり 話せません。
さいとう　：だいじょうぶです。2人（ふたり）で しますから。
ナターリヤ：わかりました。じゃあ、やってみます。

3

さいとう：エスターさん、ちょっと おねがいが あるんですが。
エスター：はい、なんですか。
さいとう：らいげつの 日本まつりで マンガが かける ひとを さがしてるんです。マンガきょうしつの せんせい、おねがいできませんか。
エスター：え、マンガの せんせいですか。おもしろそうですね。やってみます。
さいとう：よろしく おねがいします。
エスター：こちらこそ。

4

さいとう：タイラーさん、いま、日本語で しかいが できる ひとを さがしてるんですが、おねがいできませんか。
タイラー：日本語で しかいですか。できるかなあ。やったこと、ありません。
さいとう：だいじょうぶです。できますよ。タイラーさん、日本語、じょうずですから。
タイラー：ええ、じしん、ありません。ちょっと むりです。すみません。
さいとう：そうですか。じゃあ、ビデオさつえいは どうですか。
タイラー：あ、ビデオは いいですよ。
さいとう：じゃあ、ビデオさつえい、おねがいします。

5

さいとう：キャシーさん、いま、つうやくが できる ひとを さがしてるんですが …。おねがいできませんか。
キャシー：日本まつりの つうやく、いつですか。
さいとう：7月2日（ふつか）です。
キャシー：すみません、2日は ちょっと つごうが わるいんです。
さいとう：じゃあ、しかいは どうですか。3日（みっか）なんですが。
キャシー：ああ、3日は だいじょうぶです。しかいは まえに したことが あるので、できると おもいます。
さいとう：よかった。じゃあ、おねがいしますね。

こたえ 2

（にほんごが はなせる ひと）（マンガが かける ひと）（しかいが できる ひと）

❸

こたえ 1

	1	2	3	4
(1)	9時 ひろば	9時30分 うけつけ	12時 ホール	1時 かいじょう
(2)	a	d	c	b

073-076 1

1

さいとう　：ヨサコイの ボランティアの ひとは、あさ 9時（くじ）に さくらひろばに あつまって ください。
エドワード：あさ 9時、さくらひろばですね。あめが ふったら、どう しますか。
さいとう　：あめが ふったら、9時に みどりホールに あつまります。
エドワード：みどりホールですね。わかりました。

2

さいとう　：つぎに、うけつけですが、うけつけは 9時半（くじはん）に はじめます。
ナターリヤ：9時半ですね。わかりました。あのう、ひとが たくさん 来たら、どう しますか。
さいとう　：そうですねえ。たくさん 来たら、すこし はやく 9時（くじ）15分に はじめます。
ナターリヤ：9時15分ですね。わかりました。

3

さいとう：それから、スピーチコンテストの ボランティアは、12時に みどりホールに あつまって ください。
タイラー：12時ですね。あのう、ビデオカメラの つかいかたが わからなかったら、どう しますか。
さいとう：ビデオカメラの つかいかたが わからなかったら、

たなかさんに 聞いて ください。スピーチコンテストの たんとうは たなかさんですから。
タイラー：はい、わかりました。

4
さいとう：ええと、マンガきょうしつの ボランティアの みなさんは、1時に かいじょうに 来て ください。
エスター：はい、かいじょうに 1時ですね。
さいとう：はい。そして じゅんびを はじめて ください。いすや つくえを ならべます。
エスター：じゅんびが おわったら、どう しますか。
さいとう：じゅんびが おわったら、わたしに れんらくして ください。
エスター：さいとうさんに れんらくするんですね。わかりました。

こたえ 2 （きたら）（おわったら）（わからなかったら）

だい８か　コンサートは もう はじまりましたか　p68

❶

077

日本まつりで いろいろな イベントが あります。
a　Ｊポップコンサートが あります。7月1日（ついたち）と3日（みっか）、ごご2時から みどりホールで あります。にゅうじょうりょうは ３０００円（さんぜんえん）です。
b　じゅうどうデモンストレーションが あります。7月3日、ごぜん10時から みどりホールで あります。にゅうじょうむりょうです。
c　たいこきょうしつが あります。7月2日（ふつか）、ごぜん10時と 11時半と ごご2時から みどりホールで あります。さんかひは ５００円（ごひゃくえん）です。
d　カラオケコンテストが あります。7月2日、ごご2時から さくらひろばで あります。にゅうじょうむりょうです。

コンサートは なんじに はじまりますか。
デモンストレーションは 11時に おわります。
コンテストは さくらひろばで やっています。
うけつけで 日本まつりの プログラムを もらいます。
日本まつりの うちわは かわいいです。

❷

こたえ 1

	1	2	3	4
(1)	a	d	c	f
(2)	ア 2時	イ ひろば	ア 10時	イ ホール

078-081 1

1
A　　　：Ｊポップコンサート、なんじに はじまるか、しってますか。
B　　　：ううん、わかりません。うけつけで 聞いてみましょう。…あのう、すみません。Ｊポップコンサートは なんじに はじまりますか。
ナターリヤ：2時に はじまります。もうすぐです。
B　　　：2時からですね。どうも ありがとう。

2
A　　　：カラオケコンテスト、どこで やってるか、しってますか。
B　　　：ううん、ちょっと わかりません。うけつけで 聞いてみましょう。…あのう、すみません。カラオケコンテストは どこで やってますか。
ナターリヤ：さくらひろばです。
B　　　：さくらひろばですね。ありがとう。

3
A　　　：たいこきょうしつ、おもしろそうですね。なんじに はじまるか、わかりますか。
B　　　：ううん、わかりません。うけつけで 聞いてみましょう。…あのう、すみません。たいこは なんじからですか。
タイラー：たいこきょうしつですか。ええっと、10時からです。
B　　　：10時からですね。わかりました。

4
A　　　：あ、あの アニメの うちわ、いいですね。どこで もらえるか、しってますか。
B　　　：ああ、あの うちわですか。うけつけで ちょっと 聞いてみましょう。…あのう、すみません。アニメの うちわ、どこで もらえますか。
タイラー：みどりホールの いりぐちです。にんきが ありますから、はやく 行った ほうが いいですよ。
B　　　：みどりホールの いりぐちですね。どうも ありがとう ございます。

こたえ 2 （はじまるか）（もらえるか）

❸

こたえ 1　1（×）　2（〇）　3（×）　4（〇）　5（×）

082-086 1

1
A　　　：すみません。じゅうどうデモンストレーション、もう はじまりましたか。
ナターリヤ：いいえ、まだ はじまってません。
A　　　：ああ、よかった。なんじに はじまりますか。
ナターリヤ：あと 5分ぐらいです。あちらの いりぐちから どうぞ。
A　　　：ありがとうございます。

2
A　　　：すみません。じゅうどうデモンストレーション、もう はじまりましたか。
ナターリヤ：はい、もう はじまりました。
A　　　：ああ、そうですか。はいっても いいですか。
ナターリヤ：はい、うしろから しずかに どうぞ。

3
A　　　：すみません。じゅうどうデモンストレーション、もう はじまりましたか。
ナターリヤ：いいえ、まだ はじまってません。
A　　　：そうですか。なんじに はじまりますか。
ナターリヤ：もうすぐです。あちらの いりぐちから はいってください。
A　　　：ありがとう。

4
A　　　：すみません。Jポップコンサート、まだ やってますか。
タイラー：まだ やってますよ。
A　　　：ああ、よかった！はいっても いいですか。
タイラー：はい、うしろから しずかに おねがいします。

5
A　　　：すみません。Jポップコンサート、まだ やってますか。
タイラー：いいえ、もう おわりました。
A　　　：ええ、もう おわったんですか。ざんねん。
タイラー：3日（みっか） も ありますよ。よかったら、来てください。
A　　　：あさっても？ええ、そうします。

こたえ 2　（もう）（まだ）

❹

こたえ 1　1（×）　2（○）　3（×）　4（×）

087 1

キャシー：みなさん、ほんじつは おいそがしい なか、日本まつりカラオケコンテストに おいで くださって、ありがとうございます。はじめに みなさんに おねがいが あります。この ホールでは いんしょくは ごえんりょください。けいたいでんわも ごえんりょください。しゃしんは だいじょうぶですが、ビデオは ごえんりょください。よろしく おねがいします。

◆ トピック5　とくべつな 日（ひ）

だい９か　お正月（しょうがつ）は どう していましたか　p74

❶

088・089

1月1日（ついたち） がんじつ
12月31日 おおみそか

(1) 正月（しょうがつ）
a　あいさつを します、あけまして おめでとうございます
b　ねんがじょう、あいさつを 読みます
c　はつもうで、じんじゃや てらに 行きます
d　おせちりょうり、ごちそうを 食べます
e　おとしだま、おとしだまを あげます、もらいます
f　かるた、みんなで あそびます

(2) 正月（しょうがつ） の じゅんび
g　買いものを します
h　りょうりを つくります
i　そうじを します、おおそうじを します
j　いえを かざります

❷

こたえ 1

	1	2	3	4
(1)	g, h	i, j	b, c	d, e
(2)	イ	ア	イ	ア

090-093 1

1
A　　　：お正月（しょうがつ） は まいとし、いそがしいですか。
おかあさん：ええ、いそがしいですよ。
買いものとか、りょうりとか、じゅんびが たくさん ありますから。
A　　　：お正月の りょうりですか。
おかあさん：はい。正月は しんせきが 来るので、たくさん つくります。ああ、ことしも たいへん。
A　　　：そうですか。

2
A　　　：お正月は、どうですか。
おとうさん：そうですね、ちょっと めんどうですね。おおそうじとか、正月の かざりつけとか。
A　　　：おおそうじ？
おとうさん：はい。正月の まえに、いえじゅうを きれいに そうじします。それから、いえを かざります。
A　　　：そうですか。めんどうですね。
おとうさん：ええ、でも　たのしいですよ。こどもと いっしょに しますから。
A　　　：じゃあ、たのしいですね。
おとうさん：はい。

3
A　　：お正月は、どうですか。
こども：ええ、つまらない。わたしは きょうみ、ありません。
A　　：どうしてですか。
こども：だって、はつもうでとか ねんがじょうとか、まいとしまいとし おなじで つまらないです。
A　　：へえ、そうですか。

4
A　　：お正月は どうですか。
こども：お正月、だいすきです。
おとしだまとか、ごちそうとか、たのしい ことが たくさん あります。
A　　：おとしだま？
こども：ことし、50000円（ごまんえん） もらいました。
A　　：50000円！すごいですねえ。

こたえ 2

(おおそうじとか)(かざりつけとか)(おとしだまとか)(ごちそうとか)

❸

こたえ 1

	1	2	3	4
(1)	a	c	d	b
(2)	e	g	h	f

094-097 1

1

A　　：カーラさん、正月(しょうがつ)の 休みは どう して いましたか。

カーラ：お正月は ずっと フランスに かえってました。

A　　：ああ、そうですか。どうでしたか、フランスは。

カーラ：はい、ひさしぶりに おやや しんせきに 会えて、よかったです。

A　　：そうですか。

2

A　：キムさん、お正月の 休みは どう してましたか。

キム：ことしは いもうとが かんこくから あそびに 来てたので、東京に いました。

A　：そうですか。いもうとさんと いっしょで、よかったですね。

キム：はい、東京を あちこち あんないできて、よかったです。

3

A　：シンさん、お正月の 休みは どう してましたか。

シン：休みが みじかかったので、うちで ごろごろしてました。

A　：え?休みは なんにちぐらいでしたか。

シン：ことしは 3日(みっか)かんしか ありませんでした。

A　：え、3日?

シン：ええ。でも、インドえいがの DVD が たくさん 見れて、よかったですよ。

A　：そうですか。

4

A　　：よしださん、正月の 休みは どうでしたか。

よしだ：かぞくで ホンコンに りょこうに 行ってました。

A　　：わあ、ホンコンりょこうですか。どのぐらい?

よしだ：4日かん(よっかかん)です。休みが 4日かんしか とれませんでしたから。でも、つまや こどもと いっしょに すごせて、よかったです。

A　　：そうですか。

こたえ 2

(1)(あそびに きていました)(ごろごろしていました)

(2)(あんないできて)(みられて)

だい 10 か　いい ことが ありますように　p80

❶

098・099

(1) きせつの ぎょうじ

・せつぶん　2月3日(みっか)は せつぶんです。まめまきを します。おには そと、ふくは うち。

・ひなまつり　3月3日(みっか)は ひなまつりです。ひなにんぎょうを かざります。

・こどもの日(ひ)　5月5日(いつか)は こどもの日です。こいのぼりを かざります。

・たなばた　7月7日(なのか)は たなばたです。たなばたかざりを つくります。ねがいごとを 書きます。

・七五三(しちごさん)　11月15日は 七五三です。こどもは ちとせあめを もらいます。

(2) みんなの ねがい

・かぞくの しあわせを いのります。

・こどもの せいちょうを いのります。

・かぞくの けんこうを ねがいます。

・ながいきを いわいます。

・しゅうかくを かんしゃします。

❷

こたえ 1

	1	2	3	4	5
(1)	b	c	a	d	a
(2)	f	g	e	g	h

100-104 1

1

A：あのう、この にんぎょう、とくべつな ものですか。

B：ああ、それは ひなまつりの にんぎょうです。

A：ひなまつりって なんですか。

B：ひなまつりは おんなのこの ための まつりです。おんなのこが しあわせに なるように ねがいます。

A：おんなのこの ため?

B：はい。それで、にんぎょうを かざったり するんです。

A：そうですか。おもしろいですね。

2

A：あの かざりは なんですか。

B：ああ、あれは こいのぼりです。こどもの日(ひ)の かざりですよ。

A：こどもの日?

B：はい。むかしは おとこのこの ための まつりでした。

A：おとこのこの ためですか。

B：はい。それで、こいのぼりを かざったりします。おとこのこの せいちょうを いのるんですよ。

A：そうですか。

3

A：あのう、この かざりは とくべつな ものですか。

B：ああ、それは たなばたかざりです。7月7日(なのか)は たなばたですから。

A：たなばたって なんですか。
B：たなばたは ほしの まつり、ほしまつりです。かざりを つくったり、ねがいごとを 書いたり して、たのしみます。みんな、いい ことが あるように ほしに ねがいます。
A：ふうん、おもしろいですね。

4
A：この おかし、なんですか。
B：ああ、それは ちとせあめです。七五三（しちごさん）の おかしです。
A：七五三ですか。
B：ええ。まいとし 11月15日に、3さい、5さい、7さいの こどもは おてらや じんじゃに 行くんですよ。
A：へえ。
B：そして、おやは こどもが げんきに せいちょうするように いのります。
A：そうですか。

5
A：これは、なにか とくべつな ものですか。
B：ああ、それは せつぶんの とき、つかうんですよ。
A：せつぶんって なんですか。
B：せつぶんは まめを なげて、みんなに わるい ことが 来ないように、びょうきに ならないように ねがいます。
A：ああ、ながいきを ねがうんですね。
B：そうです。

こたえ 2
（1）（せいちょうするように）（あるように）（ならないように）
（2）（かざったりします）（きたり）（とったり します）（なげたり）（たべたり して）

❸

105 1 84 ページと おなじ。

◆ トピック6　ネットショッピング

だい 11 か　そうじきが こわれて しまったんです　p90

❶

106

ネットショッピングの サイト
1 ほしい しょうひんが あります。
2 でんきせいひんを さがします。
3 しょうひんを くらべます。
そうじき、れいぞうこ、せんたくき／せんたっき、おんがくプレーヤー、テレビ、ラジオ、せんぷうき、アイロン、でんしレンジ、エアコン、すいはんき

❷

こたえ 1　1（a）　2（d）　3（b）　4（c）

107-110 1

1
かわい：シンさん、なにを 見てるんですか。
シン　：ネットショッピングの サイトです。
かわい：なにか 買うんですか。
シン　：はい。そうじきを さがしてます。
かわい：そうじき？
シン　：いま、つかってるのが こわれて しまったんです。
かわい：こわれちゃったんですか。それは こまりましたね。

2
A　：キムさん、なにを 見てるんですか。
キム：ネットショッピングの サイトです。
A　：なにか 買うんですか。
キム：はい。せんたくきです。いま、つかってるのが うごかなく なったんです。
A　：え、せんたくき、うごかなく なって しまったんですか。それは たいへんですね。

3
A　：ジョイさん、なに、見てるんですか。
ジョイ：ネットショッピングの サイトを ちょっと。
A　：なにか 買うんですか。あ、れいぞうこ？
ジョイ：ええ。うちの れいぞうこ、ちょうし、わるく なっちゃったんです。もう ふるくて…。
A　：それは こまりましたね。

4
A　：パクさん、なに、見てるんですか。
パク：ネットショッピングの サイトを ちょっと。
A　：なにか 買うんですか。
パク：ええ。おんがくプレーヤーです。
A　：おんがくプレーヤー？でも、パクさん、1つ（ひとつ）もってますよね。
パク：あれ、せんしゅう、みずの なかに おとして しまったんです。それで おとが でなく なったんですよ。
A　：おとしちゃったんですか、みずの なかに。それは たいへんですね。

こたえ 2
（1）（でなく なりました）（うごかなく なりました）
（2）（こわれて しまったんです）（わるく なって しまったんです）

❸

こたえ 1

	1	2	3	4
（1）	○	○	△	△
（2）	a	d	b	c

111-114 1

1
A　：かわいさんは よく ネットショッピングを しますか。
かわい：はい、よく します。みせに 行かないで 買いものできますから。
A　：そうですか。ああ、うちで 買えるのは べんりですね。

2
A　：すずきさんは よく ネットショッピングを しますか。
すずき：ええ。ネットショッピングが おおいです。じかんを きに しないで 買いものできますから、べんりですね。
A　：そうですね。よる おそい じかんでも だいじょうぶですね。

3
A　：のださん、よく インターネットで 買いものを しますか。
のだ：ネットショッピングは ときどき します。しょうひんを かんたんに くらべられますから。
A　：ああ、かんたんに くらべられるのは いいですね。でも、わたしは てんいんの はなしを 聞かないで 買うのは ちょっと しんぱいです。
のだ：ああ、わかります。わたしも たかい ものは みせに 行って 買いますよ。

4
A　：よしださん、よく インターネットで 買いものを しますか。
よしだ：ええ、ときどきですが、しますよ。クレジットカードで 買えるので、べんりですね。
A　：ああ、クレジットカードで 買えるのは べんりですね。でも、わたしは みせで 見ないで 買うのは ちょっと しんぱいです。
よしだ：ああ、わかります。わたしも おおきい ものは みせに 買いに 行きますよ。

こたえ 2 （みないで）（きかないで）

だい 12 か　こっちの ほうが 安(やす)いです　p94

❶

115

どんな そうじきですか。
1 この そうじきは Aモデルです。
2 Aモデルの おもさは 3.5（さんてんご） キロです。
3 ねだんは 9，980（きゅうせんきゅうひゃくはちじゅう）円です。ぜいこみです。
4 よくじつ とどきます。そうりょうむりょうです。
5 ごみを すてるのが かんたんです。
6 べんりな きのうが いろいろ あります。しょうエネモードも あります。
7 みんなの レビューは 4てんです。
8 ユーザーコメント「いろが きにいりました。ごみを すてるのが らくです。おもったより おとが おおきいですが、まんぞくしています。」

❷

こたえ 1

	1	2	3	4
（1）	b	b	a	b
（2）	a	b	b	a

116-119 1

1
ジョイ：かわいさん、これ、どう おもいますか。
かわい：いいと おもいますよ。かるくて、つかいやすそうですよ。
ジョイ：そうですね。3キロなら、かるいですね。
かわい：ええ。

2
ジョイ：のださん、これ、どう おもいますか。
のだ　：ちょっと ちいさすぎると おもいます。
ジョイ：でも、うちは かぞくが すくないので、だいじょうぶです。
のだ　：ううん。ちいさすぎて、つかいにくいと おもいますよ。
ジョイ：ううん、そうですか。そうかもしれませんね。

3
ジョイ：よしださん、これ、どう おもいますか。
よしだ：きのうが おおすぎると おもいます。
ジョイ：でも、べんりそうですよ。
よしだ：ううん。きのうが おおすぎて、つかいにくいですよ。
ジョイ：ううん、そうかもしれませんね。

4
ジョイ：すずきさん、これ、どう おもいますか。
すずき：ああ、いいと おもいますよ。つかいかたが かんたんで、よさそうです。
ジョイ：ええ、つかいかたが かんたんなのが いいですね。
すずき：ええ。そう おもいます。

こたえ 2
（1）（たかすぎる）（おおすぎて）
（2）（つかいにくい）（つかいやすそうです）

❸

こたえ 1

1	(1)	買います	Ⓐ	B
	(2)	やすい		✓
		しょうエネ	✓	
2	(1)	買います	Ⓐ	B
	(2)	やすい		✓
		つかいやすい	✓	
3	(1)	買います	A	Ⓑ
	(2)	しょうエネ	✓	
		つかいやすい		✓
4	(1)	買います	A	Ⓑ
	(2)	デザインが いい	✓	
		はやく とどきます		✓

120-123 1

1
のだ　：ジョイさん、あたらしい れいぞうこ、AとB、どっちが いいですか。
ジョイ：ねだんは どっちが やすいですか。
のだ　：ねだんは Bモデルの ほうが やすいです。
ジョイ：じゃあ、どっちが しょうエネですか。
のだ　：たぶん、Aモデルだと おもいます。
ジョイ：そうですか。じゃあ、ちょっと たかいけど、しょうエネなので、Aモデルに します。

2
かわい：ジョイさん、あたらしい そうじきは AとB、どっちが いいですか。
ジョイ：ねだんは どっちが やすいですか。
かわい：Bモデルの ほうが やすいですよ。
ジョイ：ふうん。じゃあ、どっちが つかいやすいと おもいますか。
かわい：ううん、Aモデルの ほうが かるくて つかいやすそうですよ。
ジョイ：そうですか。じゃあ、つかいやすそうなので、Aモデルに します。

3
よしだ：ジョイさん、あたらしい せんたくき、AとB、どっちが いいですか。
ジョイ：どっちが しょうエネですか。
よしだ：Aモデルの ほうが しょうエネですよ。
ジョイ：じゃあ、どっちが つかいやすいと おもいますか。
よしだ：そうですねえ。Bモデルの ほうが つかいやすそうですよ。Aは きのうが おおすぎて つかいにくいと おもいます。
ジョイ：そうですか。じゃあ、つかいやすそうなので、Bモデルに します。

4
すずき：ジョイさん、あたらしい おんがくプレーヤーは AとB、どっちが いいですか。
ジョイ：ううん、デザインは どっちが いいと おもいますか。
すずき：Aモデルの ほうが いいですよ。Aの ほうが かっこいいし、おしゃれです。
ジョイ：じゃあ、どっちが はやく とどきますか。
すずき：それは Bモデルです。Bの ほうが はやく とどきますよ。
ジョイ：そうですか。じゃあ、はやく ほしいので、Bモデルに します。

こたえ 2

（A モデルの ほうが）（B モデルの ほうが）（A モデルの ほうが）

◆ トピック7　れきしと 文化(ぶんか)の 町(まち)

だい 13 か　この おてらは 14 せいきに たてられました　p102

❶

124

れきしと ぶんかの まち、京都（きょうと）を あるいてみましょう。
1 御所（ごしょ） 御所に てんのうが すんでいました。
2 二条城（にじょうじょう） 二条城は しょうぐんの しろです。
3 龍安寺（りょうあんじ）
4 金閣寺（きんかくじ）
5 平安神宮（へいあんじんぐう）
6 清水寺（きよみずでら）
7 祇園（ぎおん） 祇園に まいこさんが います。
8 四条河原町（しじょうかわらまち） おみやげの みせも たくさん あります。
9 華道（かどう）
10 茶道（さどう）
おはなや おちゃは 京都で はじまりました。
9せいきの はじめごろ、なかごろ、おわりごろ、やく1000年（せんねん） まえ

❷

こたえ 1

	1	2	3	4
(1)	1	2	3	2
(2)	–	a	d	c

125-128 1

1
おがわ（つま）：おはようございます。
パク　：おはようございます。きょうは よろしく おねがいします。
おがわ：こちらこそ。パクさん、京都（きょうと）は はじめてですか。
パク　：はい、京都は はじめてです。きょうは たのしみに して 来ました。
おがわ：そうですか。京都は なにを 見ても たのしいで

すよ。
パク　　　　　：はい。

2
おがわ（おっと）：アニスさん、京都は はじめてですか。
アニス　　　　：いいえ、わたしは 2かいめです。きょねんの はる、はなみに 来ました。
おがわ　　　　：そうですか。どうでしたか。
アニス　　　　：さくらが きれいでした。きょうは あきの 京都を 見たいと おもって、来ました。
おがわ　　　　：ああ、京都は いつ 来ても しぜんが きれいですよ。

3
おがわ（つま）：シンさんは？京都は もう なんかいか 来ましたか。
シン　　　　：ええ、きょうは 3かいめです。
おがわ　　　　：そうですか。いままで どんな ところに 行きましたか。
シン　　　　：ゆうめいな おてらを 見に 行きました。とても おもしろかったです。
おがわ　　　　：京都は どこに 行っても おもしろいですよ。
シン　　　　：はい、きょうも たのしみです。

4
おがわ（おっと）：リリーさん、京都は はじめてですか。
リリー　　　　：わたしは 2かいめです。
おがわ　　　　：そうですか。どんな ことを しましたか。
リリー　　　　：おちゃを 飲んだり、京都の りょうりを 食べたり しました。きょうも、おかし、食べたいです。
おがわ　　　　：ははは、京都は なにを 食べても おいしいですよ。じゃ、みなさん、しゅっぱつしましょう。

こたえ 2 （いっても）（たべても）

❸

こたえ 1

	1	2	3	4
(1)	14	?	17	17
(2)	20	15	139	3000

129-132 1

1
ガイド：はい、みなさん、こんにちは。金閣寺（きんかくじ）へ ようこそ。
みんな：こんにちは。
ガイド：金閣（きんかく）は 1397年、14せいきの おわりに しょうぐんによって たてられました。
パク　：あの 金は ほんものですか。
ガイド：はい。金が 20キロ つかわれました。
みんな：ほお。へえ。

2
ガイド：ええ、では、これから 龍安寺（りょうあんじ）の せきてい、いしの にわについて せつめいします。
みんな：よろしく おねがいします。
ガイド：ええ、この おにわ、見て ください。はなや きは ありません。でも、ここには 15この いしが おかれました。
シン　：15こ？1、2、3、4…あ、14こしか ありませんよ。
ガイド：はい、14こしか 見えませんが、15こ あります。
みんな：ええ？…ふうん…。
シン　：あのう、この にわは いつごろ つくられましたか。
ガイド：この にわは いつごろ つくられたか、よく わかりません。つくった ひとも わかりません。
シン　：へえ。ミステリアスですね。

3
ガイド：みなさん、清水寺（きよみずでら）へ ようこそ。こちらは ゆうめいな 清水（きよみず）のぶたいです。
リリー：ぶたい？
ガイド：ぶたい、ステージ（stage）、ステージです。
リリー：ああ。
ガイド：ええ、この ぶたいは やく400年まえ、17せいきに たてられました。たてものの したには、139ほんの きの はしらが あります。
リリー：え、き？きですか。
ガイド：はい、そうです。むかしは きの はしらが つかわれました。
リリー：へえ…。きは つよいですね。

4
ガイド：みなさん、二条城（にじょうじょう）へ ようこそ。
この おしろは 17せいきの はじめに 徳川（とくがわ）しょうぐんによって たてられました。では、こちらへ どうぞ。
アニス：わあ、この へや、ひろくて りっぱですね。
ガイド：はい。この へやは しょうぐんが きゃくと 会う ときに、つかわれました。
アニス：はあ。えも きれいですね。
ガイド：はい。二条城には 3000（さんぜん） まいいじょうの えが あります。
アニス：へえ、3000まい。あの えは きですか？
ガイド：はい、あれは まつの きです。まつは おめでたい きなので、たくさん えに かかれました。
アニス：そうですか。

こたえ 2 （おかれました）（かかれました）

❹

こたえ 1

1	2	3	4
a	c	b	d

133-136 1

1
リリー　　　　：おがわさん、「おおきに」って なんですか。

さっき、みせの　ひとが　「おおきに」と 言ってました。

おがわ（おっと）：ああ、それは 京都（きょうと） の ことばで ありがとうと いう いみですよ。

リリー　：東京の ことばと ちがうんですか。

おがわ　：ええ、ちがいます。京都では むかしから 京（きょう） ことばが 話されています。

リリー　：ふうん。やさしい ことばですね。おおきに。

2

アニス　：この あたりは 日本てきで、きれいですね。

おがわ（つま）：はい。この あたりは 祇園（ぎおん） と いう ところです。まいこさんの まちとして、かいがいでも よく しられてます。

アニス　：ああ、わたしも しゃしんを 見たことが あります。

おがわ　：あ、ほら、ほんものの まいこさんですよ！

アニス　：あ、ほんとだ！わあ、きれい！

3

シン　：あ、ここ、おかしやさん？れきしが ある みせですか。

おがわ（つま）：ええ。ここは みせが できてから、300年ぐらいです。

シン　：300年！

おがわ　：京都には もっと ふるい みせも たくさん ありますけどね。ほら、この おかし。むかしから つくられています。

シン　：へえ、そうですか。おいしそうですね。

おがわ　：ええ。これ、ゆうめいな おかしなので、ざっしでも よく しょうかいされてます。

シン　：そうですか。

4

パク　：あ、おがわさん、ちょっと まって。

おがわ（おっと）：え？

パク　：ここ、そとから 見ると でんとうてきな いえですが、なかは モダンな カフェなんですよ。

おがわ　：え、じゃあ、この いえは カフェなんですか。

パク　：はい。さいきん、テレビで しょうかいされてました。ちょっと はいってみても いいですか。

おがわ　：ええ、ええ、いいですよ。はいってみましょう。

こたえ 2 （つくられています）（しょうかいされています）

だい 14 か　この 絵（え）は とても ゆうめいだそうです　p108

❶

137

はくぶつかんには いろいろな ぶんかざいが あります。

a　ゆうめいな えが あります。こくほうです。

b　めずらしい おりものが あります。

c　いろいろな どうぐが あります。

d　きれいな かたなが あります。

e　おもしろい やきものが あります。

f　むかしの ひとが 書いた しょが あります。きれいな じです。

g　とても ふるい つちの にんぎょうが あります。

❷

こたえ 1

	1	2	3	4	5
(1)	a	g	f	c	b
(2)	i	l	k	j	h

138-142 1

1

シン　：あ、この え、おもしろいですね。

おがわ（おっと）：ああ、これは かぜの かみさまと かみなりの かみさまで、とても ゆうめいな えです。

シン　：え、かぜと かみなり？

おがわ　：はい。ああ、この え、こくほうだそうですよ。

シン　：ふうん、やっぱり すごいですね。いつごろ かかれた ものですか。

おがわ　：ええっと 17せいきに かかれたそうです。

シン　：ふうん。あ、アニスさん。

アニス　：なんですか。

シン　：この え、とても ゆうめいだそうですよ。

アニス　：へえ、そうですか。

2

アニス　：あ、これ、にんぎょうですか。わらってますね。かわいい。

おがわ（つま）：ええ、かわいいですね。ぼうしを かぶって、ネックレスも してますね。

アニス　：おんなのひとですか。

おがわ　：いいえ、これは おとこのひとです。

アニス　：へえ、おしゃれですね。これ、いつごろの ものですか。

おがわ　：ええっと、6せいきの おわりごろだそうですよ。おはかに いれるために つちで にんぎょうを つくったんですよ。

アニス　：おはかに？へえ、そうですか。

3

パク　：あ、これは てがみですか。

リリー　：ええ、きれいな じですね。

おがわ（つま）：そうですね。…あ、これ、てがみじゃなくて、古今和歌集（こきんわかしゅう） と いう うたの ほんですよ。

パク　：え、こきん？

おがわ　：古今和歌集。10せいきの はじめ、1100年まえの うたの ほんです。

リリー　：へえ、どんな うたですか。

おがわ　：ええっと、あ、この ほんには こいの うたが 書かれているそうですよ。

リリー　：1100年まえの こいの うた？ふうん。

4

リリー　：わあ、この はこ、きれいですね。

おがわ（おっと）：ああ、ほんとだ。ああ、これ、ヨーロッパに ゆしゅつする ために つくられたそうですよ。
リリー　：へえ、ヨーロッパに。
おがわ　：リリーさん、ヨーロッパの ひとは、これを なんの ために つかったと おもいますか。
リリー　：なんの ために？ううん、そうですね。たぶん ワインを いれる ために つかったと おもいます。
おがわ　：おお、そのとおりです！ヨーロッパの ひとは、これに ワインを いれたそうです。
リリー　：ふふふ、そうですか。

5
シン　：おがわさん、これ、日本の ふくですか。
おがわ（おっと）：え、これですか。…あ、これは ペルシャの じゅうたんですよ。豊臣秀吉（とよとみひでよし）が せんそうの ときに きる ために、ペルシャの じゅうたんで つくったそうです。
シン　：その ひと、ゆうめいな ひとですか。
おがわ　：ええ。れきしてきに とても ゆうめいな ひとですよ。
シン　：そうですか。でも、どうして ペルシャの ものが 日本に 来たんですか？
おがわ　：ううん、16せいきに ポルトガルの ふねで はこばれたそうです。
シン　：へえ、そうですか。おもしろいですね。

こたえ 2
（1）（おとこのひとだそうです）（はこばれたそうです）（かかれているそうです）（いれたそうです）
（2）（きる ために）（いれる ために）

❸

こたえ 1　1（b）2（c）3（d）4（e）5（a）

143-147 1

1
シン　：この かたな、かっこいいですね。しゃしん、とっても いいですか。
おがわ（つま）：あ、しゃしんは だめですよ。あそこに「撮影禁止（さつえいきんし）」と 書いてありますから。
シン　：だめですか。ざんねん。

2
リリー　：あのう、ちょっと でんわしたいんですが、ここ、だいじょうぶですか。
おがわ（おっと）：でんわですか。あ、ここは だめですね。
リリー　：えっ？
おがわ　：あそこに「携帯電話使用禁止（けいたいでんわしようきんし）」と 書いてありますから、そとで した ほうが いいですよ。
リリー　：あ、そうですか。わかりました。

3
おがわ（つま）：あ、パクさん、ごめんなさい。ここ、食べちゃだめですよ。
パク　：えっ？
おがわ　：ほら、あそこに「飲食（いんしょく）ご遠慮（えんりょ）ください」と 書いてありますよ。
パク　：あ、すみません。

4
アニス　：わあ、この きもの、きれいですね。さわっても いいですか。
おがわ（おっと）：あ、アニスさん、さわるのは だめですよ。あそこに「さわらないで ください」と 書いてありますから。
アニス　：あ、そうですか。すみません。

5
パク　：これ、すばらしい えですね。しゃしん、とっても いいですか。
おがわ（つま）：たぶん だいじょうぶだと おもいますけど…。あ、でも あそこに「フラッシュ撮影禁止（さつえいきんし）」って 書いてありますね。
パク　：フラッシュ、つかっちゃ だめですか。
おがわ　：ええ。しゃしんは だいじょうぶですが、フラッシュは つかわないで くださいね。
パク　：はい、わかりました。では。

こたえ 2
（つかっても いいですか）（たべても いいですか）

◆ トピック8　せいかつと エコ

だい 15 か　電気（でんき）が ついたままですよ　p114

❶

148

かんきょうの ために エコかつどうを しましょう。
1 でんきを つけます／けします、エアコンの おんどを あげます、へやの おんどを さげます
2 むだな コピーを しません、かみを むだに しません
3 リサイクルします、ごみを わけます、ごみを へらします、もったいないです
4 あぶらを ながしません、みずを よごしません
5 くうきを よごしません、くうきを きれいに します

❷

こたえ 1　1（a）2（c）3（d）4（b）

149-152 1

1
よしだ：あ、ワンさん。かいぎは もう おわりましたか。
ワン　：はい、おわりました。
よしだ：かいぎしつの エアコンが ついたままですよ。

ワン　：すみません。けすのを わすれました。すぐ けします。
よしだ：きを つけて くださいね。もったいないですよ。

2
よしだ：かいぎしつの かたづけは もう おわりましたか。
A　　：はい、おわりました。
よしだ：そうですか。かいぎしつの でんきが ついたままですよ。
A　　：すみません。けすのを わすれました。いま、けします。
よしだ：おねがいします。

3
A　　：すずしくないですね。エアコンは？
よしだ：ついてます。あ、でも まどが あいたままです。
A　　：あ、ほんと。まどが あいたままですね。
よしだ：すぐ、しめます。

4
A　：この へや、ちょっと あついですね。エアコン、ついてますか。
ワン：ええ、ついてます。あ、でも、ドアが あいたままですよ。
A　：ああ、あいたままですね。わたしが しめます。
ワン：あ、ありがとう。

こたえ 2 （ついたまま）（あいたまま）

3

こたえ 1

	1	2	3	4	5
(1)	c	e	b	a	d
(2)	○	×	×	○	×

153-157 1

1
ワン：ヤンさんは、どんな エコかつどうを してますか。
ヤン：そうですね。買いものの とき、じぶんの バッグを もっていくように してますよ。
ワン：あ、エコバッグですね。わたしも もっていきます。できるだけ スーパーの ふくろを もらわないように しています。
ヤン：エコバッグは ごみを へらすのに いいですからね。
ワン：そうですね。

2
ワン　：さとうさん、どんな エコかつどうを してますか。
さとう：わたしは グリーンカーテンを つくっています。
ワン　：へえ、グリーンカーテンですか。どうですか、グリーンカーテン。
さとう：とても いいですよ。へやの おんどを さげるのに やくに たちます。
ワン　：そうですか。わたしも つくってみたいです。

3
ワン：やぎさんは、なにか エコかつどう、してますか。
やぎ：ううん、そうですねえ。あ、わたしは みじかい じかんで シャワーを あびるように してます。
ワン：みじかい じかん？
やぎ：いつも だいたい 2、3ぷんです。
ワン：ああ、みずは たいせつですからね。でも、わたしには ちょっと…。むずかしそうです。
やぎ：ははは。そうですか。

4
ワン：シンさん、なにか エコかつどうを してますか。
シン：ええ。わたしは できるだけ むだな コピーを しないように していますよ。
ワン：あ、わたしもです。コピーの むだには きを つけてます。
シン：かみが もったいないですからね。
ワン：ほんとうに そうですね。

5
ワン：キムさん、どんな エコかつどうを していますか。
キム：エコですか。そうですね。わたしは りょうりを する とき、だいどころから あぶらを ながさないように してますよ。
ワン：え？じゃあ、どうやって あぶらを すてるんですか。
キム：しんぶんしと いっしょに ふくろに いれて すてます。
ワン：ああ、いい かんがえですね。わたしも これから そうします。

こたえ 2
（1）（ながさないように しています）（しないように しています）
（2）（へらすの）（きれいに するの）

だい 16 か　フリーマーケットで うります　p118

1

158

いろいろな ものと わたし
1　あきます
2　すてます
3　サイズが かわります
4　いります、いりません、いる もの、いらない もの
5　フリーマーケットで うります／買います
6　レンタルショップで スーツケースを かります

2

こたえ 1

	1	2	3	4
(1)	b	a	d	c
(2)	f	h	g	e

159-162 1

1
カルメン：よしださん、くだものを たくさん もらったら、どうしますか。

よしだ　：ううん、りんごとか オレンジとかは ジャムに したり しますよ。
それから かいしゃに もってって、かいしゃの ひとと食べます。
カルメン：ああ、みんな よろこびますね。

2
カルメン：あべさん、あかちゃんの ものが ひつように なったら、日本では どうしますか。
あべ　：そうですね。あかちゃんの ふくとか おもちゃとかは プレゼントで よく もらいますよ。
カルメン：ベビーベッドとか ベビーカーとかは？買いますか。
あべ　：買う ひとも いますが、レンタルショップで かりる ひとも おおいと おもいます。
カルメン：レンタルショップですか。それは べんりですね。

3
カルメン：さいとうさん、サイズが かわって ふくが きられなく なったら、どうしますか。
さいとう：え、ふくですか。わたしは フリーマーケットで うります。
カルメン：へえ、フリーマーケットですか。
さいとう：ええ。ちかくの こうえんで ときどき やってるんです。しらない ひとと 話せて たのしいですよ。
カルメン：それは たのしそうですね。

4
カルメン：すずきさん、こどもが おおきく なって くつが はけなく なったら、どうしますか。
すずき　：こどもの くつ？わたしは ちかくに すんでる ともだちに あげます。
カルメン：ああ、ともだちに。その ともだちにも おこさんが いるんですか。
すずき　：ええ、そうです。
カルメン：それは いいですね。

こたえ 2
（1）（あったら）（かいすぎたら）（ふえたら）
（2）（はけなく なったら）（よまなく なったら）

3

こたえ 1

	1	2	3	4
（1）	a	d	c	b
（2）	h	f	g	e

163-166 1

1
ワン　：すてきな スカートですね。
ゆうこ：ありがとう。これ、ふるい きものを スカートに したんです。
ワン　：へえ。まえは きものだったんですか。
ゆうこ：ええ。わたし、きものは あまり きないので、スカートに したんです。もったいないですから。

2
ワン　：その クッション、かわいいですね。
よしだ：これは つまが こどもの ふとんを クッションに したんです。
ワン　：そうですか。まえは ふとんですか。
よしだ：ええ。つかわなく なったので、クッションに したんです。

3
ゆうこ：ワンさん、この エコバッグ、まえは なんだったと おもいますか。
ワン　：なんですか。ぜんぜん わかりません。
ゆうこ：かさです。こわれた かさを バッグに したんです。
ワン　：へえ、かさ。かるくて、よさそうですね。

4
よしだ：ワンさん、こっちの バッグは なんだったと おもいますか。
ワン　：うーん、わかった！ネクタイですね。
よしだ：そうです。つかわなく なった ネクタイを つまが バッグに したんです。
ワン　：へえ。おしゃれですね。

こたえ 2 （を）（に）（したんです）

◆ トピック9　じんせい

だい 17 か　この 人（ひと）、しっていますか　p124

1

167

この ひと、しっていますか。

1 山下泰裕（やましたやすひろ）、スポーツせんしゅ、じゅうどうか。オリンピックで 金メダルを とりました。
2 黒澤明（くろさわあきら）、えいがかんとく。たくさんの えいがを つくって、しょうを もらいました。
3 村上春樹（むらかみはるき）、さっか、しょうせつか。しょうせつを 書いています。いろいろな ことばに ほんやくされています。
4 津田梅子（つだうめこ）、きょういくしゃ。アメリカに りゅうがくしました。じょせいの ための だいがくを つくりました。
5 湯川秀樹（ゆかわひでき）、かがくしゃ。日本で はじめて ノーベルしょうを もらいました。
6 黒柳徹子（くろやなぎてつこ）、じょゆう。ユニセフの かつどうを しています。テレビしかいしゃとしても ゆうめいです。
7 五嶋（ごとう）みどり、おんがくか、バイオリニスト。せかいで かつやくしています。
8 岡本太郎（おかもとたろう）、がか。いろいろな えを かきました。太陽の塔（たいようのとう）も つくりました。

❷

こたえ 1

	1	2	3	4
(1)	○	○	×	×
(2)	a	d	c	b

168-171 1

1
A　：キムさん、この ひと、しってますか。
キム：はい。日本の スポーツせんしゅ、たしか じゅうどうの せんしゅですね。
A　：ええ。山下泰裕（やましたやすひろ）さんです。オリンピックで 金メダルを とった ひとです。
キム：いまも せんしゅですか。
A　：いいえ。いまは、せんせいとして 日本や がいこくで じゅうどうを おしえてるそうです。
キム：そうですか。日本と がいこくの かけはしに なってるんですね。

2
A　：この ひと、しってますか。
カーラ：はい。黒澤明（くろさわあきら）です。日本の えいが かんとくですね。
A　：そうです。黒澤の えいがを 見たことが ありますか。
カーラ：「七人の侍(しちにんのさむらい)」とか「羅生門(らしょうもん)」とか、だいすきです。
A　：よく しってますね。黒澤かんとくは、イタリアや ドイツ、アメリカの えいがの しょうも もらったそうですよ。
カーラ：ええ。フランスでも ファンが おおいんです。

3
A　：ヤンさん、この ひと、しってますか。
ヤン：いいえ、しりません。だれですか。
A　：さっかの 村上春樹（むらかみはるき）さんです。しょうせつが たくさん ほんやくされてますよ。
ヤン：むらかみ…、ああ、なまえは 聞いたことが あります。せかいじゅうで さくひんが 読まれてるそうですね。
A　：ええ。えいがに なったのも あるそうですよ。
ヤン：そうですか。

4
A　：この ひと、しってますか。
シン：いいえ。むかしの 日本の じょせいですね。
A　：ええ。津田梅子（つだうめこ）と いう ひとです。日本の じょせいで はじめて アメリカに りゅうがくした ひとです。
シン：むかしって いつごろですか。
A　：いまから 140年ぐらいまえです。梅子は まだ 6さいだったそうです。
シン：6さいで りゅうがくですか。
A　：はい。アメリカから かえってから、じょせいの ための だいがくを つくったそうです。
シン：へえ、そうですか。日本の じょせいの ために はたらいた ひとですね。

こたえ 2 （つくったそうです）（よまれているそうです）

❸

こたえ 1

	1	2	3	4
(1)	d	a	b	c
(2)	e	f	h	g

172-175 1

1
A　：さいとうさんは、山下（やました）せんしゅの ファンですか。
さいとう：ええ。こどもの とき、オリンピックの 試合を テレビで 見てから、ずっと ファンです。
A　：オリンピックの しあいですか。
さいとう：はい。山下は、けがを してましたが、金メダルを とるまで、ほんとに がんばったんですよ。すごかったなあ…。
A　：そうですか。りっぱですね。

2
A　：すずきさんは、村上春樹（むらかみはるき）の ファンですか。
すずき：ええ。だいファンです。5年ぐらいまえ、「海辺（うみべ）のカフカ」と いう しょうせつを 読んでから、いろいろ 読んでますよ。
A　：ほう、そうですか。おもしろいですか。
すずき：ええ。ほん、かしましょうか。でも、おもしろいので、ぜんぶ 読むまで ほかの ことが できませんよ。
A　：ははは。じゃあ、ぜひ おねがいします。

3
A　：のださんは、バイオリニストの 五嶋（ごとう）みどりさんの ファンですか。
のだ：だいすきです。10年まえ、はじめて CDを 聞いてから、だいすきに なりました。すばらしいですよ。
A　：わあ、そうなんですか。
のだ：CDは ぜんぶ 買って、CDプレーヤーが こわれるまで 聞きました。コンサートも もちろん 行きますよ。ほんとうに いいですよ。

4
A　：さとうさんは 岡本太郎（おかもとたろう）について よく しってますね。太郎の さくひん、おすきですか。
さとう：ええ、がくせいの とき、大阪（おおさか）で「太陽の塔（たいようのとう）」を 見てから、いままで ファンです。
A　：ああ、「太陽の塔」は、岡本太郎の さくひんですか。
さとう：そうです。太郎は えも かいたし、ほんも 書きました。なくなるまで、いろいろな さくひんを つくってたんですよ。
A　：ふうん、すごい げいじゅつかですね。

こたえ 2
（1）（きいてから）（みてから）
（2）（おぼえるまで）（こわれるまで）（なくなるまで）

4

176 1 129 ページと おなじ。

だい 18 か　どんな 子どもでしたか　p130

1

177

いつ どんな ことが ありましたか。
さとうさんは 1950年に 仙台市（せんだいし）で うまれました。
こどもの とき、どうでしたか。
1 よく ともだちと あそびました。
2 よく きょうだいと けんかしました。
3 ときどき ははが ほめました。
4 ときどき せんせいが しかりました。

がくせいの とき、どうでしたか。
5 よく おしゃれしました。
6 よく ともだちを さそいました。
7 よく スポーツを しました。

しゃかいじんに なってから、どうでしたか。
8 おおきい かいしゃに しゅうしょくしました。
9 こいびとと デートしました。
10 27さいの とき、けっこんしました。
11 こどもが 2人（ふたり）うまれました。
12 42さいの とき、ブラジルに てんきんしました。
13 ちちが なくなりました。
14 51さいの とき、びょうきに なりました。
15 たいしょくしました。

2

こたえ 1

	1	2	3	4
（1）	子ども	子ども	学生	学生
（2）	c	d	a	b

178-181 1

1
A　：ケイトさんは どんな こどもでしたか。
ケイト：わたしは いぬと あそぶのが すきでした。あにとは よく けんかしてたんですけどね。
A　：へえ、げんきな こどもだったんですね。
ケイト：ええ。しょうがくせいの とき、いぬと とおくに あそびに 行って しまったんです。
A　：ええ。
ケイト：そして、うちに かえるのが おそく なって、りょうしんに ひどく しかられました。
A　：そうですか。ごりょうしんは しんぱいだったんですよ。
ケイト：ええ、でも、しかられて、かなしかったです。

2
A　：フリオさんは どんな こどもでしたか。
フリオ：わたしは からだが よわかったので、りょうしんに あまえてました。おとなしい こだったんですよ。
A　：ああ、そうですか。どんな ことが すきでしたか。
フリオ：えを かくのが すきで、よく 1人（ひとり）で えを かいてました。
A　：へえ、そうですか。
フリオ：はい。しょうがっこうの とき、わたしの えが コンテストで 1ばんに なりました。
A　：すばらしいですね。
フリオ：あの ときは せんせいに ほめられましたよ。うれしかったです。

3
A　：あべさんは どんな がくせいでしたか。
あべ：がくせいの ときですか。わたしは おしゃれと あそびに いそがしかったです。
A　：え、そうですか。
あべ：テストの まえも ともだちに さそわれて、あそびに 行ってました。
A　：だいがく、そつぎょうできましたか。
あべ：ええ、なんとか。でも、ひどい せいせきで、はずかしいです。

4
A　：のださんは どんな がくせいでしたか。
のだ：そうですねえ。たくさん べんきょうしたし、スポーツも やってましたよ。
A　：そうですか。
のだ：わたし、ラグビーぶの キャプテンだったんです。
A　：へえ、キャプテンですか。
のだ：ええ。おんなのこに かっこいいと 言われて、うれしかったです。あの ころは よかった。
A　：はあ、そうですか。

こたえ 2 （に）（ほめられました）（に）（いわれて）

3

こたえ 1

	1	2	3	4
（1）	a	c	d	b
（2）	h	f	e	g

182-185 1

1
A　：さかいさん、しつれいですが、ごけっこんの きっかけは？
さかい：え、きっかけですか。ええと、つまと わたしは おなじ かいしゃで はたらいてたんです。

A　：ああ、そうですか。
さかい：ええ。かいしゃの パーティーで はじめて 会って、それから デートするように なりました。
A　：ふうん、そうですか。けっこんして どうですか。
さかい：そうですねえ。まえより はやく いえに かえるように なりました。まえは そとで しょくじを していたんですが。
A　：うちで いっしょに ゆうしょくですか。なかが よくて、いいですね。

2
A　：たなかさんは どうして この かいしゃに はいったんですか。
たなか：あ、それは だいがくの せんせいに すすめられたんです。
A　：へえ、だいがくの せんせいに。しゅうしょくして どうですか。
たなか：がくせいの ときより あさ はやく おきるように なりました。それから、しんぶんも よく 読むように なりましたよ。まえは あんまり ニュースに きょうみが なかったんですが…。
A　：そうですか。しゃかいじんですからね。

3
A　：かわいさんは どうして タイ語の べんきょうを はじめたんですか。
かわい：こどもが しゃかいじんに なって、やっと じぶんの じかんが できたんです。
A　：ああ、そうですか。
かわい：ええ、それで、なにか じぶんの すきな ことを はじめたいと おもって、タイ語を はじめたんですよ。タイ人の ともだちも いるので。
A　：へえ、そうですか。べんきょうは どうですか。
かわい：たのしいです。いまは 少し タイ語が 読めるように なりましたよ。りょこうに 行った とき、まちの サインが わかるように なりました。
A　：それは すごいですね。

4
A　：ナターリヤさんは、どうして 日本語の べんきょうを はじめたんですか。
ナターリヤ：わたし、ちゅうがっこうの ときから、じゅうどう ならってるんです。
A　：え、じゅうどう。そのとき、日本語、できましたか。
ナターリヤ：いいえ。でも、じゅうどうの とき、日本語を つかいます。「いっぽん」とか「わざあり」とか。
A　：そうなんですか。それで、日本語に きょうみを もったんですね。
ナターリヤ：そうです。ちょっと 話せるように なったので、日本に 行って 日本語を つかってみたいです。

こたえ 2

（1）（おきるように なりました）（よむように なりました）
（2）（が）（よめるように なりました）（が）（できるように なりました）

かのまとめ　p147

186-227

p147-p157と おなじ。

Can-do チェック 『まるごと 日本のことばと文化』初級 2 A2 <かつどう>

トピック	か	タイトル	No	Can-do（話す、やりとり：42 読む：4 書く：3）
1 新しい 友だち New Friends	1	いい なまえですね That's a good name	1	自分の なまえの いみなど こじんてきな じょうほうを 言って じこしょうかいを します
			2	しゅみや けいけんなど 自分について 少し くわしく 話します
	2	めがねを かけている 人です She is the person wearing glasses	3	だれかの ふくや がいけんてきな とくちょうを 言います
			4	よく しらない 人について いんしょうを 言います
2 店で 食べる Eating Out	3	おすすめは 何ですか What do you recommend?	5	レストランに 入って にんずうと せきの きぼうを 言います
			6	たてがきの メニューを 読みます
			7	あんないした レストランで おすすめの 料理について 話します
			8	食べられない ものと りゆうを かんたんに 言います
			9	料理と かずなどを 言って ちゅうもんします
	4	どうやって 食べますか How do you eat this?	10	友だちに 食事を する ときの じゅんばんを 言います
			11	料理の 食べかたを 言います
			12	自分の 国の 料理の 食べかたを メモを 見ながら 話します
3 沖縄旅行 Okinawa Trip	5	ぼうしを 持っていった ほうが いいですよ You'd better take a hat	13	かんこうちが どんな ところか 友だちに 聞きます／言います
			14	自分の けいけんを もとに 旅行する きせつなどについて アドバイスします
			15	旅行の ときの こうつうきかんについて 自分の けいけんを 話します
	6	イルカの ショーが 見られます You can watch a dolphin show	16	旅行さきの ホテルで きょうみが ある ツアーについて 話します
			17	さんかした ツアーについて かんそうを 言います
			18	ツアーについての アンケートを 読みます
4 日本まつり Japan Festival	7	雨が ふったら、どう しますか What do we do if it rains?	19	友だちに イベントの ボランティアを たのみます／こたえます
			20	スタッフの ミーティングで 聞いた しじについて しつもんします
			21	ボランティアの とうろくの ために ひつような ことを 書きます
	8	コンサートは もう はじまりましたか Has the concert started already?	22	うけつけで イベントの 時間や 場所などについて 聞きます／言います
			23	うけつけで イベントが 今 どう なっているか 聞きます／言います
			24	イベントの しかいしゃとして メモを 見ながら あいさつと おねがいを 言います

★☆☆：しました　I did it, but could do it better.　★★☆：できました　I did it.　★★★：よくできました　I did it well.

Can-do Check

"*Marugoto*：Japanese Language and Culture" Elementary 2 A2
<Coursebook for Communicative Language Activities>

	No	ひょうか	コメント　（年 / 月 / 日）
Give a self introduction, including some personal information such as the meaning of your name	1	☆☆☆	（　/　/　）
Talk about yourself, giving a few details such as your hobbies, past experiences and so on	2	☆☆☆	
Give a description of someone's clothes and physical appearance	3	☆☆☆	（　/　/　）
Give your first impression of someone you do not know	4	☆☆☆	
Say the number of people in your party and where you want to be seated in a restaurant	5	☆☆☆	（　/　/　）
Read a menu written vertically in Japanese	6	☆☆☆	
Talk about your recommended dish at a restaurant you have taken someone to	7	☆☆☆	
Say in simple terms what things you cannot eat or drink and why	8	☆☆☆	
Order a meal, saying what dishes you want and how many of each	9	☆☆☆	
Tell a friend the appropriate order to do things in when having a meal	10	☆☆☆	（　/　/　）
Say how to eat a particular dish	11	☆☆☆	
Make a simple presentation about how to eat a particular dish from your country, using notes	12	☆☆☆	
Ask/Tell a friend what a sightseeing spot is like	13	☆☆☆	（　/　/　）
Give advice about a good season, etc. for a trip, based on personal experience	14	☆☆☆	
Talk about the transportation you used during a trip	15	☆☆☆	
Talk about which tour you are interested in going on at your hotel	16	☆☆☆	（　/　/　）
Comment on a tour you went on	17	☆☆☆	
Read a questionnaire about a tour	18	☆☆☆	
Ask your friend to help as a volunteer at an event/Respond to a request for help	19	☆☆☆	（　/　/　）
Ask a question related to instructions you heard at a staff meeting	20	☆☆☆	
Write down the information necessary to register as a volunteer	21	☆☆☆	
Ask/Say at reception the time and venue of an event	22	☆☆☆	（　/　/　）
Ask/Say at reception how an event is going	23	☆☆☆	
Make a simple speech as the MC at an event giving a short greeting and making some requests of the audience, using notes	24	☆☆☆	

トピック	か	タイトル	No	Can-do（話す、やりとり：42　読む：4　書く：3）
5 とくべつな 日 Special Days	9	お正月は どう していましたか What did you do during your New Year's holidays?	25	正月に 何を するか、どう 思うか 話します
			26	正月休みを どう すごしたか 友だちに 話します
			27	ねんがじょうを 読みます
			28	ねんがじょうを 書きます
	10	いい ことが ありますように Wishing for good things to happen	29	きせつの イベントについて 何の ために どんな ことを するか 話します
			30	自分の 国や 町の イベントについて メモを 見ながら 話します
6 ネット ショッピング Online Shopping	11	そうじきが こわれて しまったんです My vacuum cleaner has broken	31	今、何を、どうして 買うのか 話します
			32	ネットショッピングについて どう 思うか 話します
	12	こっちの ほうが 安いです This one is cheaper	33	電気せいひんについて どう 思うか 話します
			34	2つの しょうひんを くらべて どう 思うか 話します
7 れきしと 文化の 町 A Town Rich in History and Culture	13	この おてらは 14 せいきに たてられました This temple was built in the 14th century	35	おなじ ツアーの グループの 人に その かんこうちに はじめて 来たのか 聞きます／言います
			36	ゆうめいな 場所について かんたんに 話します
			37	かんこうちの ノートに 書いてある コメントを 読みます
			38	かんこうちの ノートに コメントを 書きます
	14	この 絵は とても ゆうめいだそうです I hear that this painting is very famous	39	はくぶつかんで てんじぶつの せつめいの ないようを 友だちに かんたんに つたえます
			40	はくぶつかんの ルールについて 話します
8 せいかつと エコ Life and Eco-friendly Activities	15	電気が ついたままですよ The light has been left on	41	かんきょうに よくない ことを 見つけて、ちゅういします／こたえます
			42	自分の エコかつどうについて 話します
	16	フリーマーケットで うります I'll sell it at the fleamarket	43	ものを むだに しないために 何を しているか 話します
			44	いらない もので 作った ものについて 話します
9 じんせい People's Lives	17	この 人、しっていますか Do you know this person?	45	ゆうめいな 人について しっている ことを 話します
			46	ゆうめいな 人を 好きに なった きっかけについて 話します
			47	自分の 国の ゆうめいな 人について メモを 見ながら 話します
	18	どんな 子どもでしたか What kind of child were you?	48	子ども／学生の ときの おもいでを 話します
			49	新しい ことを はじめた きっかけや その後の へんかについて 話します

★☆☆：しました　I did it, but could do it better.　★★☆：できました　I did it.　★★★：よくできました　I did it well.

	No	ひょうか	コメント　（年 / 月 / 日）
Talk about what you usually do during the New Year's holidays and what you think about it	25	☆☆☆	(　/　/　)
Tell a friend how you spent your New Year's holidays	26	☆☆☆	
Read a New Year's greeting card	27	☆☆☆	
Write a New Year's greeting card	28	☆☆☆	
Talk about a seasonal event, saying what you do and why	29	☆☆☆	(　/　/　)
Make a simple presentation about an event in your country or town, using notes	30	☆☆☆	
Talk about what you are going to buy and why	31	☆☆☆	(　/　/　)
Say what you think about online shopping	32	☆☆☆	
Talk with a friend about what you think of an electrical appliance	33	☆☆☆	
Compare two products and say what you think about them	34	☆☆☆	
Ask/Tell someone in the same tour group if it is his or her/your first time to visit a sightseeing spot	35	☆☆☆	(　/　/　)
Talk briefly about a famous place	36	☆☆☆	
Read comments written in the visitor comment book at a sightseeing spot	37	☆☆☆	
Write a comment in the visitor comment book at a sightseeing spot	38	☆☆☆	
Tell a friend in simple terms what the description of an exhibit in a museum says	39	☆☆☆	(　/　/　)
Talk about the rules in a museum	40	☆☆☆	
Point out a non eco-friendly practice to someone/Respond to this	41	☆☆☆	(　/　/　)
Talk about an eco-friendly activity you engage in	42	☆☆☆	
Talk about what you do to make the best use of things before disposing of them	43	☆☆☆	(　/　/　)
Talk about something you made by recycling a thing you no longer needed	44	☆☆☆	
Say what you know about a famous person	45	☆☆☆	(　/　/　)
Say how you came to like a famous person	46	☆☆☆	
Make a simple presentation about a famous person from your country, using notes	47	☆☆☆	
Talk about a memory of your childhood/student days	48	☆☆☆	(　/　/　)
Talk about what motivated you to start something new in your life and how things have changed since then	49	☆☆☆	

【写真協力】(五十音順・敬称略)

■ 株式会社 アフロ
http://www.aflo.com/
〒104-0061
東京都中央区銀座 6-16-9
ビルネット館 1-7 階

■ 株式会社 麦(シャポールージュ)
http://www.sometime.co.jp
〒180-0004
東京都武蔵野市吉祥寺本町 2-13-1

■ 川崎市岡本太郎美術館
http://www.taromuseum.jp/
〒214-0032
神奈川県川崎市多摩区枡形 7-1-5

■ 京都国立博物館
http://www.kyohaku.go.jp/
〒605-0931
京都府京都市東山区茶屋町 527

■ 京都大学基礎物理学研究所
湯川記念館史料室
〒606-8502
京都府京都市左京区北白川追分町　京都大学内

■ 京都市文化市民局元離宮二条城事務所
〒604-8301
京都府京都市中京区二条通堀川西入二条城町 541

■ koigoromo
http://koigoromo.com/

■ 高台寺
〒605-0825
京都府京都市東山区高台寺下河原町 526

■ 宗教法人 建仁寺
http://www.kenninji.jp/
〒605-0933
京都府京都市東山区大和大路通四条下ル 4 丁目
小松町 584

■ 職人 .com 株式会社
http://www.shokunin.com/
〒602-8423
京都府京都市上京区藤木町 795-2

■ 玉葱工房
http://www.tamanegi.com/
〒604-8801
京都府京都市中京区今新在家西町 29-5

■ 津田塾大学 津田梅子資料室
〒187-8577
東京都小平市津田町 2-1-1　星野あい記念図書館 2F

■ 栂尾山高山寺
http://www.kosanji.com/
〒616-8295
京都府京都市右京区梅ヶ畑栂尾町 8

■ ハイキック
〒800-0017
福岡県北九州市門司区永黒 2 丁目 12-13-401

■ 山田平安堂
http://www.heiando.com/
〒150-0033
東京都渋谷区猿楽町 18-12 ヒルサイドテラス G

■ 鹿苑寺
〒603-8361
京都府京都市北区金閣寺町 1

■ じゃかるた新聞
The Daily Jakarta Shimbun
http://www.jakartashimbun.com/
Menara Thamrin Suite 501, Jl. M.H. Thamrin
Kav.3 Jakarta Indonesia

(クレジット)
p124　村上春樹氏写真
Copyright © Iván Giménez/Tusquets Editores
p125　五嶋みどり氏写真
Photo : Timothy Greenfield-Sanders
p125　岡本太郎氏写真
© 公益財団法人岡本太郎記念現代芸術振興財団

【その他協力】

■ 株式会社 懸樋プロダクション
http://www.kakehipro.com/
〒106-0045
東京都港区麻布十番 2-14-7 田辺ビル 202

■ 株式会社 ブレイン
〒150-0001
東京都渋谷区神宮前 2-2-22 青山熊野神社ビル B1F

まるごと　日本のことばと文化　初級2　A2　かつどう

2014 年10月20日　第 1 刷発行
2025 年 8 月20日　第13刷発行

編著者	独立行政法人国際交流基金（ジャパンファウンデーション）
執　筆	来嶋洋美　柴原智代　八田直美　木谷直之　根津誠
発行者	前田俊秀
発行所	株式会社三修社 〒 150-0001　東京都渋谷区神宮前 2-2-22 TEL　03-3405-4511　FAX　03-3405-4522 振替　00190-9-72758 https://www.sanshusha.co.jp
印刷製本	萩原印刷株式会社

　ISBN 978-4-384-05756-0 C0081